Mon grand-père est gentil mais...

TELLEMENT FLYÉ !

Catalogage avant publication de Bibliothèque et Archives nationales du Québec et Bibliothèque et Archives Canada

Cantin, Reynald

Mon grand-père est gentil mais... tellement flyé!

(Mes parents sont gentils mais...; 21)
Pour les jeunes de 9 ans et plus.

ISBN 978-2-89591-217-0

I. Bergeron, Louise Catherine, 1958- . II. Titre. III. Collection : Mes parents sont gentils mais-- ; 21.

PS8555.A554M67 2014 jC843'.54 C2014-940844-7
PS9555.A554M67 2014

Correction et révision: Bla bla rédaction

Dépôts légaux: 3e trimestre 2014
Bibliothèque nationale du Québec
Bibliothèque nationale du Canada

ISBN: 978-2-89591-217-0

4339, rue des Bécassines
Québec (Québec) G1G 1V5
CANADA
Téléphone: 418 628-4029
Sans frais depuis l'Amérique du Nord: 1 877 628-4029
Télécopie: 418 628-4801
info@foulire.com

Les éditions FouLire reconnaissent l'aide financière du gouvernement du Canada par l'entremise du Fonds du livre du Canada pour leurs activités d'édition.

Elles remercient la Société de développement des entreprises culturelles du Québec (SODEC) pour son aide à l'édition et à la promotion.

Elles remercient également le Conseil des arts du Canada de l'aide accordée à leur programme de publication.

Gouvernement du Québec – Programme de crédit d'impôt pour l'édition de livres – gestion SODEC.

IMPRIMÉ AU CANADA/PRINTED IN CANADA

Mon grand-père est gentil mais... tellement fiyé !

REYNALD CANTIN

Illustrations
Louise Catherine Bergeron

Roman

À tous les Marsouins

Aux anciens

À ceux des films de Pierre Perrault
Et tous leurs ancêtres

Aux nouveaux aussi

En particulier mes amis
Louisette et Raymond
Qui ont su voir et épouser
la beauté de l'île aux Coudres

CHAPITRE 1

Le premier vol d'Odilon

Je m'appelle Jonathan, j'ai 13 ans... et sur l'étroite route asphaltée qui longe le fleuve, je pédale derrière mon grand-père Odilon. C'est épeurant de le voir aller.

Il bat des bras dans tous les sens pour rester debout. Crâne luisant sous le soleil, il exécute tout un *rap*. Penché sur l'asphalte craquelé, il se concentre pour éviter les fissures. Au lieu de rouler, il avance à petits pas. J'ai peine à pédaler aussi lentement que lui...

S'il tombe, je ne pourrai pas le retenir.

Je n'aurais jamais dû lui prêter mes nouveaux patins à roues alignées.

***

Ce matin, quand il a vu cette invention pour la première fois de sa vie, il s'est écrié :

– J'aurais dû y penser !

– Quoi ? je m'étonne.

– Des patins avec des roues alignées. J'aurais dû y penser.

– T'as jamais vu ça ?

– Dans mon temps, les quatre roues étaient placées en rectangle. Avec des roues alignées, on peut patiner en penchant la bottine. Comme au hockey ! C'est génial. J'aurais dû y penser. J'veux les essayer !

Qu'il veuille essayer mes patins, ça ne m'a pas beaucoup surpris. Parce que mon grand-père, il est, disons-le tout de suite, pas mal *flyé*.

Flyé, je sais, ce n'est plus un mot à la mode, mais c'est le meilleur que j'ai trouvé. Je pourrais dire *pété*, *sauté*, *capoté*, *crack pot*, tout ce que vous voulez, mais j'aurais l'impression de lui manquer de respect. Et papy Odilon, que j'appelle affectueusement Papiot, je le vénère au plus haut point. Surtout, j'adore les deux semaines que je passe, chaque été, avec cet ours solitaire, ici, à l'île aux Coudres, sur le fleuve Saint-Laurent. Avec lui, je me sens tellement – comment dire ? – tellement libre. Voilà.

Bien sûr, pour définir Odilon plus gentiment, je pourrais utiliser *excentrique*, *bizarre* ou *farfelu*. Mais aucun de ces termes ne lui convient parfaitement. Alors, désolé, à part *flyé*, il n'existe aucun équivalent digne de mon grand-père...

De toute façon, je vous défie de trouver un équivalent à Odilon. Vous allez voir.

***

Donc, ce matin-là, quand il a annoncé : « J'veux les essayer ! », je ne pouvais rien faire car Odilon, il a la tête aussi dure qu'elle en a l'air…

Un caillou !

Déjà, il est assis dans la cuisine en train d'enfiler mes patins. Je ne vois plus que le dessus de son crâne chauve couronné de brins de cheveux blancs. Mes bottines lui vont parfaitement. Pas surprenant. Mon grand-père et moi, en tous points, on a la même taille. En effet, je suis plutôt grand pour mes 13 ans. Et lui, il est plutôt petit pour ses…

Pour son âge, disons.

– Papiot, tu vas te casser la gu…

– Dis pas de bêtises, Jo, j'ai déjà joué au hockey.

Debout dans mes bottines au milieu de la cuisine, il se tient au dossier d'une

chaise. Sous ses pieds, les roulettes vont et viennent sur le prélart. Il est surpris.

– Tu parles ! C'est pire que sur la glace !

Les pieds enfin immobilisés, Odilon regarde de tous les côtés. Derrière ses petites lunettes rondes cerclées d'argent, ses yeux vifs cherchent une issue pour sortir de la maison.

– Batince ! J'aurais dû les mettre dehors !

Avec précaution, il fait glisser sa chaise en direction de la porte qui donne sur la galerie, face au fleuve. Là, il enjambe le seuil en s'agrippant au chambranle et, sitôt sur la galerie, il se met à rouler... à rouler... droit vers l'escalier !

– Attention ! je crie.

Écartant les bras, il saisit de justesse les montants de chaque côté et tombe assis sur la première marche.

– Tout va bien, s'empresse-t-il de me lancer le plus naturellement du monde, comme s'il s'était installé là pour admirer le fleuve qui s'étend à perte de vue devant nous.

– Bouge pas, Papiot, je reviens!

Prévoyant le pire, je cours chercher mon attirail de protection. Casque, coudes, genouillères, gants. Quand je le rejoins, les bras chargés, Odilon est étalé sur le dos, dans l'herbe, en bas des marches, lunettes de travers sur le nez.

– Tu parles! C'est traître en joual vert, ces patins-là, dans les escaliers!

Après avoir rajusté ses verres, il se met à quatre pattes. Avec une souplesse étonnante, il se redresse. Avant que j'aie pu émettre un son, le voilà qui s'éloigne sur la vaste pelouse qui le sépare de la route qui longe le fleuve...

Il marche comme en bottes de ski.

– Prends ton vélo ! me lance-t-il sans se retourner.

Sourd à sa demande, je cours derrière lui avec mon attirail de protection.

– Il faut porter ça.

Perplexe, il regarde mon équipement.

– T'as rien pour les fesses ? Ça fait deux fois que je tombe su'l'c...

Devant moi, voyez-vous, Odilon s'efforce de ne pas parler comme dans son temps. Il s'arrête toujours comme ça, à la dernière seconde, pour ne pas prononcer certains mots.

Heureusement pour moi. Je n'oserais pas les répéter ici.

Moi aussi, d'ailleurs, je me retiens pour ne pas parler comme dans mon temps. Comme ça, c'est parfait, je peux vous raconter toute l'histoire sans problème.

– Non, Papiot, j'ai rien pour tes fesses. Seulement pour tes genoux, tes coudes et ta tête. Il y a aussi des gants en cas de chute par en avant.

– C'est si dangereux que ça ? Je veux juste faire un petit tour, là.

Je lui tends mon attirail en silence.

– Mais toi, en vélo, t'auras pas ton casque ! objecte-t-il.

– Il faut tout mettre, je rétorque. Même le casque.

– Je vais quand même pas tomber sur la tête.

J'ai failli lui répondre que « tomber sur la tête », c'était peut-être déjà fait. Mais, comme je vous l'ai dit, je respecte mon grand-père. Et puis si, jadis, Papiot est vraiment tombé sur la tête et que cela a donné l'Odilon que je connais aujourd'hui… eh bien, tant mieux.

– Ce serait prudent aussi d'enlever tes lunettes, j'ajoute.

– Tu veux rire, fiston! Sans mes lunettes, je me vois même pas piss... euh... je vois même pas mes pieds. Et t'as vu l'asphalte? C'est plein de fentes partout! As-tu envie que j'me pèt... que j'me casse la... euh... que je me brise quelque chose?

Là, Odilon marque un point. Devant chez lui, l'asphalte est tout lézardé. Si un de ses patins s'engage dans une fissure, c'est la culbute assurée.

– Raison de plus pour mettre le casque, je fais, inflexible.

J'ai soudain l'impression que c'est moi, l'adulte, ici.

Grognon, il saisit mon casque et se le cale sur la tête. Du coup, je m'aperçois qu'Odilon a la tête pas mal plus grosse que la mienne. Finalement, tous les deux, on n'a pas la même taille partout.

Le haut du crâne coincé, il me regarde avec ses petits yeux bleus,

un peu hébété et l'air de dire : « T'es content, là ? » Comme si c'était de ma faute ! Retenant mon fou rire devant ce crâne à deux étages, je récupère mon casque.

– D'accord, Papiot, je garde le casque et tu gardes tes lunettes… mais tu mets tout le reste.

Je ne lui laisse pas le temps de répondre, je dépose l'attirail à ses pieds. Pendant qu'il enfile ça, je cours cueillir mon vélo derrière la maison. Quand je le rejoins, il s'est déjà engagé sur le chemin des Coudriers, qui longe la grève.

Comme souvent sur l'île, la route est déserte. Malgré cela, j'ai vraiment peur qu'il tombe. À demi accroupi, il *rappe* comme un petit vieux…

Non, vraiment, je n'aurais jamais dû lui prêter mes nouveaux patins à roues alignées.

***

Constatant qu'il aborde un bout de route nouvellement asphalté, je lui lance:

– Tu peux patiner maintenant... comme au hockey!

Je n'aurais pas dû dire ça non plus.

Son caillou s'est soulevé d'un cran, comme s'il venait de comprendre quelque chose. J'ai vu le soleil ricocher dessus. Du coup, Odilon décide de s'élancer comme s'il était sur la glace...

Comme si ses roues étaient devenues des lames.

Subitement transformé en joueur de hockey, il avance résolument un patin tout en se propulsant avec l'autre. Encore et encore, il prend de la vitesse. Sur mon vélo, j'accélère pour le suivre. Ses mains ont l'air de tenir un bâton invisible. On dirait qu'il poursuit une rondelle imaginaire. Ses coudes se balancent en harmonie, rajoutant de la puissance à chaque coup de patin…

Et une légère pente arrive !

– Ça descend ! je m'écrie.

Sourd à tout, Odilon patine sans diminuer le rythme. J'entends le grondement des roues sous ses bottines. En un mot, il *flye* ! Heureusement, la descente s'achève… mais, en bas, il n'y a plus d'asphalte neuf et il ne lui reste qu'une trentaine de mètres pour s'arrêter !

Je veux lui crier de freiner, mais je me retiens. S'il freine de côté comme au hockey, c'est la catastrophe. J'ai oublié de lui parler du coussinet de freinage.

J'accélère encore pour rouler à ses côtés.

– Papiot ! Faut ralentir maintenant !

– Pas de problème, mon Jo, je vais stopper là-bas, au bout de l'asphalte neuf.

– Faut commencer tout de suite.

– Comment ça ? me fait-il en poursuivant ses élans.

– Avec des roues alignées, on peut pas freiner comme au hockey !

Du coup, son crâne bondit comme s'il venait encore de comprendre quelque chose. Nouvel éclat de soleil. Genoux tremblants, il aligne ses bottines et se redresse sur les huit roulettes. Droit comme un i, il roule toujours et

regarde la route fissurée qui approche dangereusement, plus bas. Ses cheveux blancs frétillent au-dessus de ses oreilles. Il ne lui reste plus que 20 mètres et sa vitesse demeure constante…

– Comment on fait ? me lance-t-il, paniqué.

– Tu te sers du coussinet.

– Le coussiquoi ?

– Derrière les roues, y a un coussinet de freinage.

– Ouais, pis ?

Plus que 10 mètres !

– Soulève le devant de ton pied droit… doucement.

Obéissant, Odilon lève le pied vers l'avant, tout en poursuivant sa descente sur l'autre pied.

– Non ! je crie. Juste le devant du pied !

Trop tard. Odilon a perdu l'équilibre. Battant des bras comme s'il nageait sur le dos, le voilà qui patine à l'envers, multipliant les coups de pied dans le vide…

Zip ! Zip ! Zip ! Ses deux bottines s'envolent vers l'avant…

Et boum ! Sur les fesses !

Ayoye !

CHAPITRE 2

Le retour À LA MAISON

Lentement, nous retournons vers la maison… à pied. À la suite de l'atterrissage brutal d'Odilon, vous comprendrez que nous revenons en silence sur le chemin des Coudriers.

Grimaçant et en chaussettes, Odilon boite un peu, une main sur une fesse et l'autre sur le banc de mon vélo. Encore ému, je marche de l'autre côté en tenant le guidon. J'ai vraiment eu peur quand je l'ai vu s'envoler et aller percuter l'asphalte trois mètres plus loin…

Tout de suite, j'ai abandonné ma bicyclette et couru à son secours. Déjà, il tentait de se relever.

– Non, Papiot ! Faut d'abord ôter les patins !

– Batince !

Finalement, il m'a écouté et s'est rassis sur une fesse…

Délicatement.

– On va rentrer à pied, d'accord ?

Il était d'accord.

***

Le soleil luit toujours intensément sur le crâne penché d'Odilon pendant qu'on marche ainsi, de chaque côté de mon vélo. Il porte encore mes gants, mes genouillères et mes coudes. Pensifs, ses petits yeux bleus sont rivés sur l'asphalte qui défile sous nos pas. D'après moi, il est en train d'imaginer un protège-fesses pour patineurs débutants. Et si c'est le cas, il va le réaliser, soyez-en certains. Quand une idée apparaît dans la caboche d'Odilon,

l'objet finit immanquablement par ressortir, bien réel, de son garage.

– Ça va, Papiot? je fais en serrant un peu les freins de ma bicyclette.

Il sursaute et me regarde, comme surpris de ma présence. Puis, ses yeux vifs et furtifs se posent sur ma main. Du coup, son caillou bondit dans le soleil...

Odilon vient encore d'avoir une idée!

Il se redresse et me répond, soudain joyeux:

– Oui, oui, mon Jo, ça va. Allez, on rentre.

Torse bombé, Odilon marche sans se tenir sur mon vélo. Il boite toujours un peu mais, nettement, il ne sent plus la douleur, emporté sans doute par sa nouvelle idée géniale...

Pas étonnant qu'il ait la tête plus grosse que la mienne.

Car je le sais, moi, ce qui va arriver. Il va disparaître dans son garage pour le fabriquer, son protège-fesses... en plastique ou en métal, je n'en sais rien mais, chose certaine, il va le faire.

***

Laissez-moi un peu vous parler du garage de mon grand-père... celui d'où sortent toutes ses inventions farfelues. On peut déjà le voir d'ici. Plus grand que la maison et un peu en retrait, il ressemble à une petite église, mais sans clocher.

De l'extérieur, le bâtiment est superbe. Majestueux même. Les murs sont faits de belles planches verticales aux largeurs diverses. Le toit est couvert de tôle rouge et tout le devant est fermé par deux grands battants, dont un est percé d'une porte de dimension ordinaire.

J'avais cinq ans quand j'ai vu ce garage pour la première fois. Moment

historique pour moi. Ce jour-là, j'ai eu l'impression de pénétrer dans une cathédrale.

Normal. J'étais tout petit.

***

Le soleil était total, comme aujourd'hui. Odilon m'avait placé face à son garage et était entré par la petite porte. J'ai entendu le bruit des verrous métalliques, puis les deux grands battants se sont ouverts et là, soudain, je me suis retrouvé tout bête, et tellement minuscule, devant une automobile géante.

L'automobile d'Odilon !

– Une Pontiac 1948 ! m'avait-il annoncé fièrement.

Rutilante et plus rouge que le toit du garage, elle trônait là, sous la nef du bâtiment, au centre de tout. Et moi, je n'étais pas plus haut que la calandre qui ornait le devant de la voiture. Les

deux phares ronds semblaient regarder par-dessus ma tête, derrière moi, en direction de la rive sud, de l'autre côté du fleuve.

Ébloui, je me suis approché de cette montagne de métal. L'impressionnante et aveuglante calandre était sertie d'un médaillon représentant la tête empanachée d'un chef amérindien...

Pontiac!

Soudain, je me suis senti soulevé de terre. Odilon m'avait saisi par-derrière pour que je voie mieux. Tel un petit hélicoptère, je volais autour de ce monument métallique tout en rondeurs. Je n'avais pas assez d'yeux pour tout admirer. Quand Odilon m'a enfin reposé sur le sol, j'ai dit:

– Est grosse.

– Ouais.

– On dirait un gros jouet.

– On peut dire ça.

– Est neuve ?

– Oh non, mon petit Jo ! Elle est aussi vieille que moi. Tous les deux, on est nés en 1948.

1948 ! Tu parles d'un chiffre !

– Tu viens ? m'avait-il tout de suite proposé. On va faire un tour.

– Oui, Papiot ! Ouiiiiii !

Je devais battre des mains.

– Va t'asseoir là-bas, dans l'escalier. Je te rejoins.

J'ai couru vers la maison, mais je ne pouvais pas m'asseoir tant j'étais excité. Debout sur la plus basse marche, j'ai regardé la Pontiac sortir du garage. La lourde bagnole dodelinait mollement sur sa suspension. Sa robe d'acier était éclaboussée de soleil.

Enfin, l'engin s'est immobilisé devant moi, me cachant tout le fleuve Saint-Laurent. Puis, soudain, au-dessus

d'Odilon, le toit en toile beige s'est soulevé, puis est disparu dans le coffre arrière de la voiture...

C'était une décapotable!

Odilon est descendu ouvrir la portière de mon côté. Sur la longue banquette, Papiot avait placé une petite boîte en bois... pour moi. Après m'avoir assis et bien attaché dessus, il a engagé son énorme Pontiac sur le chemin des Coudriers. Grâce à ce rehausseur improvisé, j'ai pu tout voir...

C'est comme ça que j'ai fait mon premier tour de l'île aux Coudres.

***

Ça nous a pris toute la journée pour parcourir les 23 kilomètres. Odilon s'arrêtait partout. Il connaissait tout le monde. Il connaissait son île par cœur. Il était né ici. Il me racontait toutes sortes d'histoires sur les moulins, les voitures d'eau, les marsouins. Sur la Roche-

Pleureuse et la Roche à Caya aussi. Et même sur la statue de Notre-Dame de l'Assomption, à l'extrémité de l'île.

Bien sûr, je n'écoutais pas. Ça ne m'intéressait pas.

Voyant que je prenais mon plaisir ailleurs, Odilon a cessé de parler. C'est plus tard que j'ai tout appris sur l'île, peu à peu, par bribes, au fil de mes étés ici. Ce jour-là, j'étais simplement heureux, juché sur mon trône en bois dans cette limousine étincelante qui voguait sur la route à la manière d'un immense navire.

Cheveux au vent, je découvrais tous les horizons de l'île. Mes yeux s'émerveillaient de ses couleurs toujours changeantes. Mes narines enregistraient toutes les odeurs subtiles. Lorsqu'on s'arrêtait, mes oreilles se remplissaient du bruit des vagues.

Quand on a cinq ans, on est une éponge. Je n'ai jamais oublié cette

journée-là. J'en suis encore tout imprégné. Déjà, je savais que jamais je ne pourrais passer un été sans revenir ici.

***

C'était ma première journée sur l'île.

La veille, pour la première fois, mes parents m'avaient confié à Odilon pour s'offrir deux semaines de vacances en amoureux, je pense. Ce soir-là, avant qu'ils repartent, j'avais remarqué l'immense bâtiment qui se découpait dans le soleil couchant et qui jetait son ombre sur la maison d'Odilon.

– C'est mon garage, m'avait-il tout de suite expliqué.

– Y'est gros ! je m'étais exclamé.

– Demain, je te le fais visiter. Après, on fera le tour de l'île.

J'étais comblé.

Le cœur en paix et en fête, mes parents avaient repris le traversier. De son côté, Papiot, heureux de se retrouver avec son petit-fils, m'avait préparé un lit confortable dans le toit de sa maison. C'était comme un demi-étage avec une fenêtre donnant sur le fleuve. Cette nuit-là, j'ai dormi sans rêve et, le lendemain, je faisais le tour de l'île en Pontiac 1948…

Et je rencontrais Florence Harvey.

C'est aussi un peu pour elle que je reviens ici chaque été, vous savez. Je vous raconterai.

***

Mais pour l'instant, Odilon n'a plus mal aux fesses et, comme je l'avais deviné, il se dirige droit vers son garage. Mes gros coudes et mes gros genoux lui font une silhouette bringuebalante. On dirait C-3PO dans *Star Wars*, qui rentre pour une réparation.

Soudain, au beau milieu de la vaste pelouse, j'aperçois une ancre de bateau, posée là, sans raison, comme tombée du ciel. Comment ne l'ai-je pas vue tantôt, quand Odilon est sorti de la maison en patins ? Je l'ignore. En tout cas, l'objet est bien là, couché sur l'herbe, immobile, bien réel et très pesant.

– Qu'est-ce que c'est ?

C-3PO s'arrête et se retourne maladroitement.

– Comme tu vois, mon Jo, c'est une ancre.

– Une ancre ! Pour quoi faire ?

Ma question le trouble. Il hésite un temps, puis :

– C'est... euh... pour décorer mon terrain. Elle est belle, non ?

– Oui, mais un peu rouillée ?

– On la repeindra.

J’adore travailler avec Odilon. Je suis content. Peindre une ancre de bateau, pourquoi pas ?

– On commence quand ?

– Pas aujourd’hui. Je n’ai pas encore acheté la peinture.

Il s’apprête à repartir vers son garage.

– D’où elle sort, cette ancre ? je demande.

– C’est l’héritage d’un vieil ami. Il était capitaine d’une goélette qui ne pouvait plus rivaliser avec les moyens de transport modernes. Il a dû la brûler en 1968. Il m’a donné l’ancre.

– C’était une voiture d’eau ?

– Oui, une voiture d’eau.

Puis, changeant de sujet :

– Tu me prêtes tes patins ?

– Encore !

– Cette invention a besoin d'amélioration, affirme-t-il en se dandinant sur place.

Hésitant, je lui tends mes patins.

– Merci, fait-il en les posant sur son épaule.

Et il se dirige vers son garage.

Je suis surpris. Habituellement, il m'invite à bricoler avec lui. Une de mes activités préférées ici, Odilon le sait bien, c'est de travailler avec lui dans son garage. Mais là, rien.

– Papiot ! je m'exclame, un peu gêné.

Il se retourne à nouveau.

– Oui, mon Jo, qu'est-ce qu'il y a ?

– Tu vas te fabriquer un protège-fesses, c'est ça ?

– Un protège-fesses ? s'étonne-t-il. Tu veux rire ! De quoi j'aurais l'air ?

– D'habitude, ça te dérange pas d'avoir l'air fou. Je pourrais t'aider.

– Non, Jo, pas aujourd'hui, me dit-il un peu rudement. Il fait beau, là. T'es arrivé hier. C'est ta première journée. Pendant que je bricole, pourquoi tu fais pas le tour de l'île en vélo? Tu vas peut-être découvrir des affaires nouvelles.

– Mais…

Il me regarde d'un drôle d'air. Puis, il lâche:

– T'as pas le goût d'aller voir Florence?

Florence!

Là, il me cloue le bec, Odilon. Florence Harvey!

– Envoye! *Flye*! me lance Papiot avec un geste vif, comme pour chasser une mouche embarrassante.

Envahi par une envie soudaine de retrouver ma grande amie d'été, je détale sur mon vélo, abandonnant sur la pelouse C-3POdilon avec son idée de patins améliorés.

Ce qu'il va en faire, je m'en fous. Ses inventions sont si invraisemblables parfois. Ça aussi, je vous raconterai.

Mais là, pas le temps...

Je file chez Florence.

CHAPITRE 3

FLORENCE HARVEY

Florence demeure un peu plus à l'est sur le chemin des Coudriers. Comme celle d'Odilon, sa maison fait face à la lointaine rive sud. Normalement, cinq minutes de vélo me suffisent pour être chez elle. Aujourd'hui, trois seulement.

La large galerie qui entoure la vieille maison sur trois côtés semble déserte. Je m'avance dans l'entrée, le cœur battant.

Si j'ai le cœur qui bat, ce n'est pas à cause de mon *sprint* de trois minutes en vélo. Non. C'est parce que, chaque été, revoir Florence Harvey, ça me rend un peu nerveux. Voilà.

Elle est tellement spéciale, Florence. Fascinante, j'oserais dire. Déjà, à cinq ans, quand je suis descendu de la Pontiac d'Odilon et que je l'ai rencontrée pour la première fois, elle m'a fait tout un effet.

***

Mon grand-père me tenait par la main et nous avancions dans cette entrée... justement celle où je me retrouve maintenant, huit ans plus tard.

– Mon petit Jo, je vais te présenter ma filleule, m'expliquait Odilon. Elle s'appelle Florence. Elle est très spéciale. Je suis son parrain et je la considère comme ma petite-fille. Je fais tout pour qu'elle soit heureuse. Par exemple, je lui fabrique de petits avions. Tu vas voir, son bonheur est très contagieux.

Bien sûr, je ne comprenais rien. Sur la galerie, une fillette filait à toute allure sur un tricycle. Au milieu du guidon, entre ses mains, était fixé un

petit avion. Plus elle allait vite, plus l'hélice tournait. Elle menait un train d'enfer.

Entre les barreaux, sa robe scintillait. Zébrée de soleil, Florence pédalait comme une forcenée. Aux angles de la galerie, ses roues arrière dérapaient pendant que ses pieds faisaient patiner la roue avant dans la nouvelle direction.

Odilon et moi, nous sommes restés au pied de l'escalier. Deux fois encore, la fillette est passée en trombe devant nous. La troisième fois, dans un dérapage parfaitement contrôlé, elle a freiné et son tricycle s'est immobilisé de travers, juste en haut de l'escalier.

– Oh ! elle a fait en reconnaissant Odilon.

Avant même que l'hélice de son avion ne se soit arrêtée, elle lui sautait au cou. Mon grand-père l'a attrapée de justesse. Déjà, elle grimpait sur ses épaules pour lui taper sur le crâne.

– Attention ! Mes lunettes ! s'exclamait Papiot, qui semblait s'amuser de ce jeu. Allez, Florence, descends. Je t'ai emmené un ami.

Aussitôt, elle a bondi dans l'escalier. Un autre bond et elle s'est retrouvée sur son tricycle. Un vrai petit singe. C'est à cet instant qu'elle m'a vu pour la première fois.

Son regard était dur, presque agressif, comme si je représentais un ennemi possible.

– Florence, voici Jonathan, lui expliquait doucement Odilon, comme s'il avait peur qu'elle ne comprenne pas ou qu'elle se sauve. C'est mon petit-fils. Il est en visite chez moi pour deux semaines.

Sourcils froncés, Florence tenait son guidon comme si elle craignait que je lui vole son tricycle. Ou son avion. Je n'aimais pas ça. Je m'agrippais à la jambe de Papiot.

– Calme-toi, Jo, me rassurait Odilon en caressant mes cheveux. Elle est gentille, tu vas voir. C'est vrai, hein, Florence, que tu es gentille ? Jonathan, il a cinq ans, comme toi. Lui aussi, il voudrait jouer. Tu peux l'appeler Jo.

Un long silence a suivi, pendant lequel le regard froid de Florence s'est apaisé. Je m'en souviens comme si c'était hier. Ses yeux verts se sont adoucis... et agrandis. Puis, elle a encore fait :

– Oh !

Et, sans un mot de plus, elle a repris son marathon infernal sur la galerie.

– Allez, Jo, m'a encouragé Odilon, monte la rejoindre. Sois pas surpris. Florence parle presque pas. Mais elle aime beaucoup s'amuser. Elle adore les avions.

Ensemble, on a gravi les marches de la vieille maison.

– Je rentre saluer ses parents et je reviens.

– Il est beau, le petit avion, j'ai dit, timidement.

– C'est moi qui l'ai fabriqué… d'après un de ses dessins.

Sur cette explication mystérieuse, Odilon m'a abandonné là, sur la plus haute marche, pendant que Florence poursuivait son étourdissant manège. La galerie était rayée de traces noires, surtout dans les angles. Je n'osais pas m'avancer. Finalement, je lui ai tourné le dos et je me suis assis dans l'escalier, face au fleuve.

De l'autre côté, je pouvais distinguer l'église d'un petit village. Saint-Roch-des-Aulnaies, j'allais l'apprendre plus tard.

Soudain, le bruit, sur la galerie, s'est arrêté. Je me suis retourné. Florence se tenait derrière moi, debout à côté de

son tricycle. Ses grands yeux verts et son petit nez pointu scrutaient la rive sud, comme moi tantôt. Quand elle s'est aperçue que je l'observais, elle s'est enfuie dans la maison.

***

Tout seul avec le tricycle, je ne savais plus quoi faire.

Finalement, je me suis assis dessus et j'ai fait le tour de la galerie. À plusieurs reprises, j'ai tenté d'accélérer et de déraper dans les coins, comme elle. Rien à faire, impossible d'atteindre la vitesse nécessaire. L'hélice du petit avion tournait à peine. Une fois, en forçant un virage, j'ai basculé contre le garde-fou. J'allais commencer à brailler quand j'ai entendu un autre petit « Oh ! ».

De toutes mes forces, j'ai retenu ma crise et je me suis relevé en reniflant. J'ai remis le tricycle sur ses roues en

faisant attention au petit avion. Florence souriait et je me sentais honteux...

C'est à ce moment-là, je pense, qu'on s'est liés d'amitié pour la vie. Ses grands yeux verts sont devenus bleus...

Voilà une autre affaire qu'il faudra que je vous explique.

***

En tout cas, aujourd'hui, 8 ans plus tard, j'ai 13 ans et j'avance sur la même galerie pour aller cogner à sa porte...

– Oh !

Je me retourne. Elle est là ! Immobile sur son vélo, un pied au sol, l'autre sur une pédale. Sa fine silhouette se découpe dans la lumière du fleuve. Elle a grandi, Florence. Plus que moi. Surtout ses jambes, qui sont si longues et si puissantes. Des jambes de cycliste,

presque trop fortes par rapport à sa maigre poitrine.

Au milieu du guidon, entre ses mains, un petit avion est encore fixé. Un bel avion. Ce n'est pas le même qu'autrefois et je le reconnais, car c'est moi qui l'ai fabriqué, l'été passé, avec Odilon.

L'éclat intense du fleuve, derrière Florence, m'empêche de distinguer les traits de son visage. Au loin, le clocher de Saint-Roch-des-Aulnaies n'a pas bronché, mais mon cœur, lui, s'est remis à battre très fort.

– Flo ! je fais bêtement.

Sans un mot, elle se dresse sur une pédale et détale vers le nord-est, vers le bout de l'île. Je cours à mon vélo. Après quelques zigzags maladroits, je reprends mon aplomb et gagne en vitesse.

Déjà, Florence n'est plus, là-bas, qu'un trait lointain. Je ne pourrai jamais la rattraper, je le sais. En tricycle ou en bicycle, rien à faire, je ne serai jamais aussi rapide que Florence Harvey. Elle est capable de faire le tour de l'île en moins de 40 minutes.

Mais je pédale sans ménagement. J'ai vraiment hâte de me retrouver à ses côtés, comme chaque été. Et n'allez surtout pas croire que je suis amoureux. Pas du tout! Jamais de la vie ! Pas question ! Je vous l'ai dit. Mon premier contact avec mon amie d'été, c'est toujours un moment émouvant, car cela marque le début de deux belles semaines d'été, voilà tout.

Arcbouté sur mon vélo, je poursuis son ombre filante sur le chemin des Coudriers, qui bifurque maintenant vers l'intérieur de l'île, où Florence disparaît entre les arbres. Je fonce tête baissée sous l'arche de verdure. Quelques coups de pédales et j'aperçois soudain son vélo, immobilisé au bord de la route, tout près de la Roche-Pleureuse. Sur le guidon, l'hélice du petit avion tourbillonne encore et mon amie est là, à côté, debout devant la source légendaire.

Je freine et m'approche en silence. Je la regarde qui regarde le filet d'eau scintillant qui semble sortir doucement de la pierre. Et je repense à cette belle et triste histoire d'amour que je connais par cœur – mon grand-père Odilon

me l'a racontée si souvent – et déjà, je sais que Florence, comme chaque été, va se tourner vers moi et ses yeux verts vont encore me demander de lui raconter l'histoire de Charles, ce jeune navigateur ambitieux et téméraire... et de Louise, sa malheureuse fiancée.

La légende de la Roche-Pleureuse.

***

Le premier été, alors que j'avais cinq ans, Odilon m'avait juste dit que la roche pleurait à cause de la tristesse d'une jeune femme qui avait attendu tous les jours sur cette pierre le retour de son fiancé parti en mer.

Les histoires d'amour qui se terminent mal ne m'intéressaient pas, bien sûr. Mais, au fil des étés, Papiot avait rajouté des détails qui m'avaient intrigué: l'attente infinie sous l'orme, le cri terrible de la corneille, le bouquet suspendu et abandonné. Le récit finissait toujours de la même façon.

Charles ne revenait jamais et la pauvre Louise se transformait en oiseau blanc, laissant derrière elle cette roche qui, depuis, pleure sans arrêt.

Odilon imitait la tempête sur l'océan. Devant moi, il sifflait comme le vent qui se déchaînait sur le minuscule navire ballotté et craquant de toutes parts. Il gesticulait avec une énergie folle pour mimer l'héroïque combat de Charles contre les éléments. Puis, soudain, il se mettait à croasser comme une corneille égorgée... et s'immobilisait. Il dessinait alors dans les airs la branche d'un orme à laquelle il accrochait un bouquet. Enfin, il se métamorphosait en Louise, la fiancée prostrée sur sa roche, puis faisait mine de s'envoler, tel un oiseau blanc.

C'était drôle et fascinant. C'était... super *flyé*.

Ainsi, chaque été, Odilon faisait revivre cette histoire en y rajoutant

des détails passionnants, enrichissant à sa manière cette légende que, chaque fois, je trouvais plus captivante.

***

Et me revoilà aujourd'hui à côté de Florence qui regarde pleurer la roche. Son nez, toujours aussi pointu qu'autrefois, est immobile alors que ses grands yeux fixent la source intarissable avec une intensité incroyable. J'admire les scintillements de l'eau glisser sur son iris. Sa bouche est entrouverte, en un « Oh ! » muet...

Et, comme prévu, elle se tourne vers moi. Du coup, son nez disparaît au milieu de son visage et je me vois dans ses immenses yeux verts.

– Oui, Flo, j'ai compris. Tu veux encore entendre l'histoire de la roche qui pleure. Suis-moi, on va aller au bout de l'île. Je vais tout te raconter.

À l'instant même, ses yeux deviennent bleus !

Ne vous étonnez pas. C'est comme ça. Le regard de Florence vire au bleu quand un plaisir l'envahit. Parfois même, son bonheur est si grand qu'il devient le mien…

Comme là, maintenant.

Voilà pourquoi, chaque année, je reviens à l'île aux Coudres. Pour être avec Papiot, bien sûr… mais également, je l'avoue, pour être témoin des fulgurants bonheurs de Florence Harvey.

Sa joie est tellement contagieuse.

C'est Odilon qui m'a montré ça.

CHAPITRE 4

Le bout de l'île

Sans un mot, j'enfourche mon vélo et reprends la route sur le chemin des Coudriers, persuadé que Florence va me suivre. Quelle idée ! À peine quelques coups de pédales et la voilà qui me double... qui me quintuple, devrais-je dire. Pendant une seconde, j'ai l'impression d'être arrêté.

Résigné, je pédale de mon mieux. Flo a déjà disparu dans la courbe suivante. Le bout de l'île n'est plus très loin. Deux autres courbes et je quitte l'asphalte pour bifurquer à droite, à grande vitesse, sur le chemin du Bout-d'en-Bas...

C'est plein de trous !

Je réussis à en éviter un ou deux, mais ma roue avant s'enfonce dans le suivant. Le choc est violent. Je glisse de ma selle et mes jambes s'accrochent dans le guidon. Derrière moi, le vélo se soulève et me propulse dans les airs. J'atterris dans l'herbe haute qui borde la route...

Je bondis sur mes pieds. Florence m'a-t-elle vu ?

Je regarde en direction de la pointe extrême de l'île.

Là-bas, juchée sur une grosse boule bleue, une statue de la Vierge se découpe dans le ciel. Notre-Dame de l'Assomption ! Autour de la madone, Florence s'amuse à faire du vélo entre les rochers. Elle saute de l'un à l'autre, puis disparaît dans un creux pour resurgir sur le plus haut rocher. Là, sur sa bicyclette, elle tourne la tête vers la rive nord, du côté des Éboulements.

Après de longues secondes de ravissement sans doute, elle redescend de son perchoir et s'échappe derrière la madone.

***

Avec précaution, je pédale entre les roches de la grève. Les yeux rivés au sol, je m'approche de la Vierge. Le vélo de Florence est couché au pied de la statue. Je m'arrête et dépose le mien, comme elle, sur les galets. Je contourne l'énorme boule bleue.

En face, il n'y a plus que les fameuses Roches Perdues et, au-delà, le grand fleuve qui s'étale entre deux rives qui vont se perdre à l'infini.

Florence contemple cette immensité.

Je m'assois à ses côtés et j'entreprends de lui raconter la légende de la Roche-Pleureuse.

***

Combien de temps a duré mon récit? Plusieurs années ou quelques minutes? Je ne sais pas. En tout cas, Florence n'a pas cillé. Durant toute la légende, son nez est resté là, sans broncher, joliment planté au milieu du grand «Oh!» de son visage, tel un clou dans l'éternité.

Et depuis combien de temps ai-je terminé mon récit? Je ne le sais pas non plus. Soudain, je bondis… les pieds mouillés!

– Flo! La marée monte. Viens.

La statue de la Vierge est devenue un îlot. Je la contourne et récupère mon vélo à demi submergé. Pas question de pédaler à l'aveugle entre les rochers qui émergent encore. Je dois marcher dans l'eau jusqu'à la terre ferme.

Derrière moi, Florence enfourche sa bicyclette et s'élance dans un slalom entre les récifs. Elle soulève des gerbes d'eau et m'arrose au passage, puis s'éloigne vers l'île. Enfin sur le chemin

des Coudriers, tête retroussée au-dessus de son petit avion, elle vire à droite et fonce derrière les arbres.

Découragé par ce train d'enfer, j'ai une pensée pour mon bon vieux grand-père. En embarquant sur mon vélo, je me demande bien où il en est avec mes patins à roues alignées.

***

Depuis la mort prématurée de ma grand-mère, Papiot bricole toujours comme ça. C'est sa consolation, je pense.

Mes parents m'ont raconté, l'été passé, le chagrin immense qui lui était tombé dessus, le jour où sa compagne de vie était partie. C'était avant ma naissance. Après quelques jours d'une tristesse infinie, Odilon avait soudain entrepris la construction de son garage... puis il s'était réfugié dedans, comme un ours.

Là, pour chasser la mélancolie, il s'est mis à bricoler tout ce qui lui passait par la tête... et à entretenir comme un trésor sa précieuse *Pontiac Streamliner Hydra Matic Silver 8 Streak 2 door Convertible* 1948. C'est le nom du modèle. Il est quasiment aussi long que la voiture elle-même.

Oui, depuis le décès de son épouse, Odilon a vécu comme ça, entre ses idées folles et ses inventions improbables, toujours solitaire. Puis, peu à peu, il a commencé à s'occuper de Florence, sa filleule... et à lui faire de petits avions.

C'est à cette époque que je suis venu ici pour la première fois.

***

Sacré Odilon ! Si vous saviez toutes les affaires bizarres qui sont sorties

de son crâne et de son garage. Je me rappelle une invention super drôle : une casquette-moumoute ! J'avais sept ans quand il l'a mise sur sa tête devant moi. Pendant un instant, j'ai eu peur devant cette miraculeuse chevelure...

Après, j'ai tellement rigolé.

Une fois aussi, il s'est confectionné une tuque-à-barbe, toute en laine. Vous riez ? N'empêche que ça protège bien le bas du visage quand il fait très froid. En plus, ça vous fait un beau masque pour la Mi-Carême. On fête encore ça un peu, ici, sur l'île.

Je me souviens aussi de sa ceinture-ruban-à-mesurer qui permet de toujours connaître son tour de taille... et de mesurer n'importe quoi, n'importe où. Et de ses lunettes-entonnoirs pour mettre des gouttes dans ses yeux.

Souvent, bien sûr, la patente s'avère inutile...

Mais pas toujours.

Par exemple, il est super génial, moi, je trouve, le petit clavier qui lui sert de sonnette d'entrée. En arrivant, les visiteurs peuvent jouer une mélodie. Pas mal, non ?

Et les marches, dans sa maison, qu'il a transformées en tiroirs de rangement... ou son grand fauteuil creux, près du foyer, dans lequel il entrepose ses bûches.

Mais tous ces petits bidules, c'est rien à côté de sa tondeuse à pédales. Vous devriez le voir, l'été, quand il tond le gazon sur son gros tricycle à lames. Croyez-moi, il faut être très fort des jambes pour faire avancer l'engin. L'été dernier, j'ai essayé. Rien à faire. Florence passait par là. Elle a pris ma place...

Une heure plus tard, toute la pelouse était rasée !

Odilon adore les pédales. Pour remplacer n'importe quel moteur, quoi de mieux ? C'est super écolo... et ça garde en grande forme. Imaginez. À sept ans, je pédalais sur son prélart de cuisine dans une Mini-Pontiac 1948 de sa confection. Dans son garage, vous ne le croirez pas, il y a même une souffleuse à pédales...

J'avoue ne l'avoir jamais vue fonctionner.

Et voilà qu'aujourd'hui, à cause de moi, Odilon s'intéresse aux patins à roues alignées. Va-t-il leur ajouter des pédales ? Il en est bien capable. C'est ce que je me dis en reprenant lentement la route sur le chemin des Coudriers...

Lentement, car il est inutile de tenter de rattraper Florence Harvey.

CHAPITRE 5

L'ÎLE, d'un BOUT À L'AUTRE

Je n'allais pas revoir Florence avant d'atteindre la Roche à Caya, à l'autre bout de l'île.

Si, tous les deux, on est arrivés là en même temps, une heure plus tard, c'est parce que Florence n'est pas toujours restée, comme moi, sur le chemin des Coudriers. À chaque occasion, elle a bifurqué dans les chemins de traverse. Je la dépassais sans le savoir. Puis, elle me redoublait à vive allure. Une fois, elle m'a distancé à fond de train dans la côte à Mailloux que j'étais en train de gravir à pied, essoufflé, à côté de mon vélo.

Ainsi, pendant que moi, je demeurais sur les hauteurs de l'île, elle déviait sur le chemin de la Bourroche, puis sur la route du Verger. Elle se tapait aussi la vertigineuse côte du Traversier jusqu'au monument érigé à la mémoire de Jacques Cartier, qui a fait célébrer là la première messe au Canada. Ensuite, plus loin, au Cap-à-la-Branche, juste avant la croix du père de La Brosse, elle a dévalé la dangereuse côte à Picoté jusqu'au chemin des Prairies, le long de la Grande Batture, là où se trouve le magnifique phare de la pointe…

Finalement, on s'est rejoint à l'autre bout de l'île. Tous les deux, on a emprunté en même temps le chemin de l'Islet, celui qui mène à la Roche à Caya. J'étais trempé de sueur. Elle était fraîche comme une rose.

***

La pointe de l'Islet, c'est la proue de l'île aux Coudres. C'est l'avant de

ce navire immobile qui pointe vers le sud-ouest, en direction du grand fleuve qui se rétrécit, là-bas, à Québec, pour aller chercher sa source bien au-delà, dans un pays lointain…

Celui des Grands Lacs !

C'est sur cette pointe qu'est posée la Roche à Caya.

Qui est Caya ? J'espère que les yeux de Florence ne le me demanderont pas. Une légende par jour, c'est assez. Et puis, ce Caya, c'est juste un fou. Un fou agressif en plus. Un pauvre cinglé qui passait ses journées assis sur un immense caillou, à contempler le paysage. Il ne laissait jamais approcher personne. Son pied entêté a même gravé son empreinte dans cette pierre sise devant le plus beau site du monde…

Oui, le plus beau !

Peut-être n'était-il pas si fou, après tout, ce Caya.

Florence et moi, nous nous sommes arrêtés là, au cœur même du site de la pêche aux marsouins qui se pratiquait encore ici, dans l'anse, il y a un demi-siècle. À droite, tout près, sur la rive nord du fleuve, on peut admirer Baie-Saint-Paul, joliment installée au creux des montagnes de Charlevoix.

Je commence à avoir faim.

Florence sort deux pommes du petit sac accroché au guidon de son vélo, sous son avion. Elle m'en offre une en levant les yeux sur moi. Ils sont bleus et je comprends qu'elle ne désire rien.

Apaisé, je me rappelle tout de même que c'est à côté de cette roche qu'est né le premier bébé sur l'île aux Coudres... Brigitte, fille de Joseph et Marie Savard, les premiers habitants ici.

La légende veut ensuite que tous les bébés de l'île soient nés sous cette roche. Bien sûr, Florence n'est pas née sous la Roche à Caya. En fait, elle a vu

le jour non loin d'ici, juste devant la chapelle Saint-Isidore. Ça aussi, je vous raconterai. C'est fabuleux.

– On retourne chez papy Odilon ? je demande sans attendre de réponse.

Pomme entre les dents, je repars de plus belle. Ensemble, nous traversons le village de Saint-Louis et, comme toujours, Florence s'arrête quelques secondes devant la minuscule chapelle qui l'a vue naître...

Là, pendant quelques secondes, elle regarde le ciel...

Puis repart aussitôt.

***

Tous les deux, côte à côte, nous nous retrouvons près du grand fleuve. Notre tour s'achève. La marée a envahi la grève et toutes les roches ont disparu... sauf celle du Vieil Indien.

Je me plais à imaginer qu'il s'agit de Pontiac lui-même.

À mes côtés, Florence pédale lentement et en silence, comme au ralenti, pour ne pas me distancer. Sur son guidon, l'hélice fonctionne bien. Je suis fier de mon bricolage. Je me tourne vers le Vieil Indien qui émerge au large, à environ 100 mètres. Peu à peu se précisent son nez arqué et son menton bien découpé... puis, derrière sa tête, une sorte de panache. L'illusion ne dure que quelques secondes, le récif reprend sa forme quelconque. Je me retourne vers Florence...

Elle n'est plus là !

Elle a encore bondi vers l'avant. Dans un *sprint* incroyable, elle file comme une flèche. Là-bas, elle quitte le chemin des Coudriers pour prendre, à gauche, celui de La Baleine, qui se poursuit en parallèle, plus en hauteur.

Sans penser, je la suis...

Dans une minute, nous serons derrière chez Odilon.

CHAPITRE 6

Le deuxième vol d'Odilon

Florence m'attend et je m'arrête à ses côtés.

Nous dominons le terrain de mon grand-père. Derrière le garage, même si elle est couverte d'une grande housse pour la protéger du soleil et des intempéries, je reconnais les formes arrondies de sa Pontiac 1948.

Pourquoi ne se trouve-t-elle pas à l'intérieur ? Bizarre, ça. En tout cas, devant la maison, au milieu de la pelouse, l'ancre de bateau est toujours là...

Soudain, sur le chemin des Coudriers, j'aperçois une silhouette familière qui gesticule drôlement...

Odilon !

Encore armé de mes genouillères et de mes coudes, le revoilà en patins, progressant par saccades et avec d'infinies précautions. Le fleuve est si haut que, vu d'ici, on dirait qu'Odilon roule sur l'eau. Ses mains gantées tiennent quelque chose qui ressemble à des pinces...

Des pinces reliées à mes patins par des fils !

Ça m'inquiète un peu. Sur mes bottines, je vois qu'il a aussi rajouté quelque chose...

Des petits moteurs électriques ?

Tout est possible.

Il prend de la vitesse, mais pas trop. Il arrive maintenant dans la pente douce, là où l'asphalte est neuf... là où il a culbuté ce matin. Il se laisse descendre lentement. Soudain, au milieu de la côte, il avance les mains et serre les pinces !

Du coup, sous ses pieds, ses patins s'arrêtent comme si les roues s'étaient bloquées brusquement.

Et voilà Odilon qui *flye* par en avant!

J'abandonne mon vélo et détale comme un lapin pour aller à son secours. Je dévale la pente et file entre le garage et la maison. Je saute par-dessus l'ancre. En trois secondes, je traverse la pelouse. Papiot tente de se relever, mais n'y parvient pas. J'enjambe le canal qui longe la route et je me retrouve à ses côtés.

– Batince !

– Papiot, ça va ? Rien de cassé ?

– C'est pas au point, ça.

– Quoi, ça ? je demande.

Je n'attends pas la réponse. En voyant les « pinces » et les câbles reliés à mes patins, je comprends tout !

Odilon a installé des freins de vélo sur mes patins !

– Des plans pour te pét... pour te casser la gu...

Heureusement, mes gants et mes genouillères l'ont protégé dans sa chute. Mon attirail est vraiment très utile aujourd'hui. Et voilà Florence qui surgit à vélo. Rivés sur son parrain

grimaçant, ses grands yeux sont d'un vert intense. Elle est angoissée.

– Ça va, Florence, je dis pour la rassurer. T'en fais pas.

Elle se tourne vers moi et je me rends compte que son regard n'est pas encore totalement apaisé. Alors, j'ajoute :

– T'inquiète pas, Flo, on va te le fabriquer, ton petit avion… hein, Papiot ?

– Quoi ? s'étonne Odilon, dont le crâne est encore occupé par ses nouveaux freins à patins.

– L'avion de Florence, je répète. Comme chaque été. Tu vas m'aider ?

– Euh… oui, oui, Jo, bien sûr…

Puis, il réconforte Florence :

– Sois sans crainte, ma belle. Cette année, ton avion, tu n'en croiras pas tes yeux.

Une lueur bleue traverse le regard de Florence qui, aussitôt, saute sur son

vélo et file chez elle. Je me retourne vers Odilon.

– Quand est-ce qu'on va le commencer, son avion ?

– Bientôt, bientôt, me répond-il, impatient. Avant, il faut s'attaquer à l'ancre.

– Tu m'as dit que t'avais pas de peinture.

– On n'aura pas besoin de la peinturer… juste l'enterrer.

À ce mot, il porte la main à sa bouche.

– L'enterrer ? Tu voulais pas que ce soit une décoration ?

– Ben… euh… j'ai changé d'idée.

– L'enterrer ! Pourquoi l'enterrer ? Je comprends pas.

– Cesse de poser des questions, Jo, et aide-moi à retirer ces foutus patins.

Rassis sur l'asphalte, il cherche à se les arracher des pieds sans les délacer. Il grogne d'impatience. Je m'accroupis et l'aide à défaire les nœuds. Sur le devant de mes patins, je vois qu'Odilon a fixé de petits étaux, comme ceux qui se referment sur les roues de vélo.

– J'aurais dû les river aux roues arrière.

– À l'arrière ! je fais. Et le coussinet de freinage ?

– Ah oui, le coussinet !

Il réfléchit un moment.

– Facile ! s'écrie-t-il. On va l'enlever.

– L'enlever ! Pourquoi tu t'en sers pas, du coussinet ? Tout le monde fait ça. Ça s'apprend.

– Trop lent! T'as vu , ce matin, ce qui est arrivé. À moins que…

– À moins que quoi ? je demande, exaspéré.

– À moins qu'on en rajoute un ! s'exclame-t-il. Avec deux coussinets, ça va freiner deux fois plus vite.

– Tu pourras jamais utiliser deux coussinets, Papiot. Penses-y. Pour ça, il faudrait que tu lèves le devant des deux pieds en même temps. Faut être acrobate pour ça.

– Mouais...

Il commence à mollir. J'ai bon espoir. Mais, soudain, le soleil ricoche sur son crâne :

– Non, Jo ! Il faut deux coussinets ! Mais des coussinets avec des pentures, tu comprends ? Et des tiges qui montent jusqu'aux genoux du patineur...

Ça y est ! C'est reparti !

– Quand le gars veut freiner, poursuit-il, facile, il se penche et pousse les tiges vers l'arrière. Ensemble, les deux coussinets descendent frotter l'asphalte et on obtient un freinage maximal !

Je ne l'écoute plus.

– Allez, Jo, retour à l'atelier ! Je suis sûr que ça va marcher !

J'ai perdu. C-3POdilon a repris la direction de son garage.

***

Dépité, je remonte récupérer mon vélo sur le chemin de La Baleine. Je redescends en longeant le garage. J'appuie ma bicyclette dessus. Puis, je me retrouve devant l'immense bâtiment, comme la première fois, quand j'avais cinq ans…

J'aimerais tant qu'il s'ouvre encore sur une grande surprise.

Mais non. Tout reste clos et silencieux. Même la petite porte percée dans un des deux battants est fermée. Je m'approche. Doucement, je fais jouer le verrou. C'est barré. Mais pourquoi donc ? Je cogne.

– Papiot !

– Oui, s'empresse de répondre Odilon à l'intérieur. Qu'est-ce que tu veux ?

– T'aider.

– Attends, j'arrive.

J'attends. Le soleil de midi tape fort. Sa chaleur est amplifiée par les battants en bois. J'ai hâte de me réfugier à l'ombre. Pourquoi ne m'ouvre-t-il pas ?

– Tu es toujours là ? me crie-t-il.

– Oui, Papiot. Il fait chaud.

– Tu as soif ?

– J'ai faim aussi. J'ai juste avalé une pomme.

– Moi aussi, j'ai faim. Allez. Rentre à la maison et enfourne quelques pâtés croches. Je remets de l'ordre ici et je te rejoins. Il y a du jus dans le frigo. Après le dîner, je te promets une grosse surprise.

Je la connais, sa surprise. Après les pâtés croches, ça va être les pets-

de-sœur en spirale, comme chaque fois que j'arrive ici. Franchement, je ne suis plus sûr d'aimer ça autant qu'avant, les pets-de-sœur. J'en ai tellement mangé. Et puis les pâtés croches, je commence à les avoir de travers.

Résigné, je me dirige vers la maison. J'entre. J'allume le four à 325. Du frigo, je sors quelques pâtés croches et un grand pichet. En attendant que le four atteigne la température voulue, je vais m'asseoir dans le haut de l'escalier avec un grand verre de jus.

La marée descend doucement et de gros nuages se forment à l'horizon, sur la rive sud. Entre le fleuve et moi, au milieu de la vaste pelouse, repose toujours l'ancre rouillée.

Odilon me cache quelque chose, c'est certain.

CHAPITRE 7

Florence et les avions

Les pâtés croches étaient super bons. Plus légers que d'habitude. J'en ai enfilé trois de suite et ils sont passés tout droit, sans résister. Dans la pâte, au lieu du porc haché, Odilon a mis du veau. C'est mieux, je trouve. Même les pets-de-sœur à l'érable, après, se sont révélés exquis.

Un tour de l'île à vélo, voyez-vous, ça ouvre l'appétit.

***

Finalement, la surprise d'Odilon, ce n'étaient pas les pets-de-sœur. C'étaient les dessins d'avions de Florence.

Bon. Il est temps que je vous parle des avions de mon amie.

D'abord, sachez que Florence ne va pas à l'école. Je n'ai pas osé vous le révéler avant, mais pour elle, s'asseoir sur un banc pendant des heures, c'est impossible...

Sauf pour dessiner des avions.

Ça vous paraît bizarre ? Je comprends. Florence, vous l'avez remarqué, elle est spéciale. Mais elle n'est pas folle. Pas du tout ! Jamais de la vie ! Pas question ! Même si le docteur de l'île prétend qu'elle souffre d'une maladie avec un nom que je n'aime pas, je ne suis pas d'accord... surtout quand il dit qu'elle souffre.

Florence ne souffre pas. Non ! Moi, je dis que Florence, c'est la fille la plus heureuse du monde. À Québec, dans ma nouvelle école secondaire, il n'y a pas une seule fille aussi rayonnante qu'elle. Là-bas, elles sont toutes prises

dans des histoires compliquées qui les font brailler ou ricaner comme dans les téléréalités.

Avec Florence, rien de tout cela. Avec Florence, tout est simple. Ou bien elle pédale, ou bien elle dessine des avions.

En plus, comme vous savez, elle ne parle pas. Elle ne mange presque pas non plus. Un fruit de temps en temps. Des céréales le matin, je pense. Quelques bouts de fromage le soir, m'a dit Odilon. Et de l'eau. Inutile de vous préciser qu'elle déteste les pâtisseries de l'île. Croches ou en spirale, rien à faire, elle lève le nez. Moi, je crois que si ses grands yeux tombaient un jour sur un *hot chicken* de cafétéria, elle ferait un « Oh ! » tellement grand qu'il dépasserait les limites de son visage.

En fait, je dois vous le révéler maintenant...

Florence n'est jamais sortie de son île.

Vous comprenez ?

Et on peut même prévoir qu'elle n'en sortira jamais.

***

Voilà, c'est comme ça. Hiver comme été, Florence pédale ou dessine des avions. Tous les Marsouins natifs de l'île sont habitués de voir passer sa longue silhouette à bicyclette. Je suis même certain que plusieurs vrais marsouins, dans l'eau, en reprenant leur souffle non loin de la rive, ont déjà aperçu Florence à vélo.

Par contre, presque personne ne sait qu'elle dessine des avions. Seulement ses parents, son docteur, Odilon et moi...

Et vous maintenant.

Pourquoi des avions ? Je vous explique tout de suite.

***

Un jour, quelques années avant que je vienne à l'île pour la première fois, le docteur a appris à Odilon que la petite Florence était née dans des conditions extrêmement difficiles.

– Sous la Roche à Caya ? lui avait demandé mon grand-père, pour rigoler.

– Non, Odilon, mais pas loin, avait précisé le docteur. Juste devant la chapelle Saint-Isidore.

– Dehors ?

– En plein ça, mon Odilon, dehors. Rappelle-toi, c'était au lendemain de la grosse tempête de février dernier. Ça gelait à pierre fendre. L'île était isolée du continent et les habitants étaient paralysés chez eux, sans électricité ni téléphone. En plus, malgré le beau temps revenu, les chemins étaient encore bloqués par d'incroyables bancs de neige.

– Oui, je m'en souviens ! s'était exclamé mon grand-père. C'est ce jour-là que j'ai eu mon idée de souffleuse à pédales.

Voyant qu'Odilon ne prenait pas l'histoire au sérieux, le docteur avait failli s'en aller.

– Excuse-moi, Gérard, s'était repris Odilon. Continue. Ça m'intéresse.

Et le docteur avait poursuivi :

– La mère était en travail depuis plusieurs heures et le père a voulu me l'amener d'urgence en auto. Parce que le vent avait balayé la neige sur le chemin des Coudriers, devant chez lui, il a presque réussi à se rendre jusqu'à chez moi, à Saint-Louis. Malheureusement, juste devant la chapelle Saint-Isidore, le vent avait accumulé un immense banc de neige.

– Pis ? a fait Odilon, qui commençait à s'intéresser vraiment à l'histoire.

– Le pauvre homme a foncé et son auto s'est échouée dedans. Il a couru cogner chez le plus proche voisin, qui tout de suite est venu me chercher. Au moment où je suis arrivé, soutenue par son pauvre mari, la mère en douleurs se tenait debout, appuyée contre la voiture. Elle s'est accroupie et je n'ai eu qu'à cueillir le bébé.

– Florence !

– Oui, Odilon… et c'est là que l'événement est survenu.

– L'événement ?

– Au-dessus de nos têtes, à très basse altitude, un petit avion a traversé le ciel. Il venait de décoller. Le vrombissement a été terrible et la petite, dans les bras de sa mère, a sursauté et ouvert les yeux. Je n'avais jamais vu ça, moi, un nouveau-né qui ouvre les yeux si vite… et si grand. J'ai même aperçu l'avion dans ses pupilles, je te le jure. Puis, avec le bruit qui s'atténuait et l'avion qui s'éloignait, la petite a refermé les paupières, comme pour garder captif en elle ce fulgurant flash.

– Wow ! je me suis exclamé quand, l'été passé, Odilon m'a rapporté cette conversation avec le docteur. Les avions, c'est ça ?

– Je ne sais pas, Jo.

– C'est pour ça que Florence s'arrête tout le temps devant la chapelle Saint-Isidore ?

– Possible.

– Et sa malad... son silence, je veux dire, c'est aussi ça ?

– Peut-être. Malgré le soleil radieux, il faisait très froid ce jour-là. Le docteur disait moins 40. Je pense qu'il exagérait.

Je n'en revenais pas. Je venais d'entendre le début d'une légende, j'en étais certain. Dans 100 ans, comment

allait-on raconter la naissance et la vie de Florence Harvey?

En tout cas, s'il faut l'écrire un jour, c'est moi qui le ferai!

Mais Odilon avait encore quelque chose à me confier:

– Et tu sais ce que j'ai fait, mon Jo, après ma conversation avec le docteur?

– Non.

– Je suis allé voir la petite Florence. Je connaissais ses parents. À huit mois, le bébé avait déjà de grands yeux et un nez qui retroussait. J'ai tout de suite vu que ce serait une enfant spéciale. Je me suis offert pour être le parrain. Ils ont accepté.

– Pourquoi t'as fait ça?

– J'étais seul. Tu venais de naître, toi aussi, là-bas, en ville. Tu allais vivre tellement loin de chez moi. Je ne te verrais pas beaucoup... et puis...

– Et puis ?

– Et puis, je voulais sortir de ma tanière. Je souhaitais aussi que mes inventions servent parfois à quelqu'un, pas seulement à moi.

Il y a eu un moment de silence, puis il a ajouté :

– Ma vie a changé ce jour-là.

***

Cinq ans plus tard, la petite Florence ne parlait pas encore.

Pour s'exprimer, elle faisait des « Oh ! ». Toutes sortes de « Oh ! ». Sur sa galerie, elle battait des records de vitesse en tricycle. C'est à ce moment-là que je suis entré dans la vie de papy Odilon et que Florence a commencé à dessiner des avions...

À vrai dire, ses premiers barbouillages ne ressemblaient guère à des avions. Ses parents voulaient les jeter, mais Odilon s'est interposé et les a recueillis.

Il les conserve dans de grands cahiers.

Je les ai tous vus.

CHAPITRE 8

Les dessins de Florence

Pendant que je cale mon dernier pet-de-sœur avec un grand verre de lait, Papiot se lève et revient avec le plus récent cahier.

C'était ça, la surprise. J'allais enfin voir les nouveaux dessins de Florence. Comme chaque été, on choisirait le plus beau et on réaliserait une petite réplique pour son vélo.

– Mon petit Jonathan, m'annonce Odilon, je pense que cette année, ça va être plus compliqué.

– Comment ça ? Les dessins sont pas précis ?

– Non, Jo. Au contraire. Ils sont plus précis que jamais, mais…

– Mais quoi ?

– Il y a une différence.

– Une différence ?

– Observe bien.

Odilon ouvre le grand cahier devant moi. Comme d'habitude, il y a plus d'une centaine de dessins. Le premier est magnifique. Je tourne les pages.

– Ils sont super beaux ! je m'exclame au bout de 10 pages. Ça va être difficile de choisir, c'est ça que tu veux dire ?

– Non, fait Odilon, regarde, c'est toujours le même avion.

C'est vrai. À chaque page, c'est le même modèle. Toujours teinté de bleu. Seul l'angle de vue change d'un dessin à l'autre.

– Elle veut nous imposer son choix, c'est ça ? je suggère.

– Oui, approuve mon grand-père, mais ce n'est pas tout. Tu ne vois vraiment pas ?

Décidément, je ne vois rien. Je feuillette le cahier en vain. Rien de particulier n'attire mon attention. Sous mon pouce, je laisse se dérouler les pages. Dans un sens, puis dans l'autre. Et de plus en plus vite. C'est amusant. Un vent s'élève du cahier. Mes cheveux sont soulevés par cette brise qui sent encore la gouache et la colle. Je me plais à regarder le mouvement que cela crée.

Soudain, je vois ! Sous mes yeux, l'avion de Florence s'anime ! Il se balance, fait un virage et le voilà de face. Puis, il pique et se redresse. Dans l'habitacle du pilote, on peut distinguer Florence, avec un nez vraiment trop long, et qui s'allonge, puis rétrécit et disparaît. L'avion fonce sur moi, puis repart dans l'autre sens… et s'éloigne enfin.

Émerveillé, je m'arrête.

– Papiot ! As-tu vu ça ? On dirait un dessin animé. Tu parles ! C'est ça, la différence ?

– Euh… oui, Jo… un peu. Mais il y a encore autre chose de bien plus important. Je suis certain que tu l'as vu.

Je reste silencieux.

– Allons, Jo ! s'impatiente-t-il. Ça saute aux yeux, il me semble. C'est la première fois que Florence fait ça.

La tête vide, je regarde Odilon au-dessus du cahier ouvert sur la table de la cuisine. Je ne comprends toujours pas. Soudain, sans avertissement, comme Papiot parfois, mon crâne sursaute et, dedans, tout s'éclaire.

– Oh !

– Oui ! s'exclame Odilon. T'as enfin pigé !

Je suis sous le choc.

– Et alors ? je fais.

– Suis-moi dehors. Je vais te montrer.

CHAPITRE 9

L'avion de Florence

Début de l'après-midi. Sous le même soleil éclatant qu'autrefois, Odilon m'a encore planté devant son garage, face aux deux grands battants en bois. Comme jadis, il est entré par la petite porte et j'entends le bruit familier des verrous métalliques. Je sens soudain qu'une grosse surprise m'attend là, derrière...

Les deux portails du garage s'ouvrent et me voilà tout bête et minuscule devant... un avion!

Oui, un avion!

L'engin est aussi impressionnant que la vieille Pontiac 1948. Juché sur deux longues pattes, l'avion est muni

de trois hélices et d'un nez qui pointe vers le ciel, loin derrière moi, comme prêt à s'envoler au-dessus du fleuve Saint-Laurent…

Il l'a fait!

– Tu l'as fait! je m'exclame enfin.

– Je l'ai fait.

Je suis abasourdi. Au bout d'un moment, je dis:

– Flo pourra jamais accrocher ça au guidon de son vélo.

– Non, bien sûr, mais elle va pouvoir s'asseoir dedans.

Soudain, je saisis l'idée d'Odilon… et toute sa folie.

– Elle va monter dans l'avion?

– Oui, mon gars. Comme dans ses dessins. Ça t'en a pris, du temps, pour voir que c'était la première fois que Florence se dessinait elle-même. Avant, elle faisait toujours des avions vides.

– Elle… elle est au courant ?

– De quoi ?

– De ça… de cet avion.

– Tu es le seul à savoir. Je travaille là-dessus en cachette depuis janvier. J'ai commencé dès que j'ai vu que Florence représentait toujours le même avion… avec elle dedans.

Je n'en crois pas mes oreilles… ni mes yeux.

– Il est terminé ?

– Presque. J'ai utilisé des matériaux ultralégers.

– T'as pas envie que ça vole pour vrai, toujours ? je demande, soudain inquiet.

– Attends, Jo, je reviens.

Il retourne dans le garage. Pendant ce temps trop long, mes craintes s'accentuent drôlement. Il sort avec une pelle.

– Réponds-moi, Papiot. Ton engin, il est pas motorisé, hein ?

– Non, non. T'inquiète pas, Jo. Pas de moteur.

– Alors, quoi ? Florence va s'asseoir dedans, c'est tout ?

– Ben…

Il hésite à poursuivre.

– Ben quoi ? j'insiste.

– Ben… elle va pédaler.

– Pédaler !

– Oui, pour faire tourner les hélices, tu comprends ? J'ai installé des engrenages et…

– Papiot, ça s'peut pas, voyons donc ! T'as jamais vu les vieux documentaires d'il y a 100 ans ? Les premiers engins de fou qu'ils inventaient dans c'temps-là pour voler. Tout le monde se cassait la gueule !

– Jo ! Parle pas comme ça !

– M'excuse, Papiot, mais là, franchement, un avion à pédales, ça lèvera jamais ! Et la piste, elle est où ?

– Là.

Il me désigne la pelouse devant sa maison.

– Va falloir qu'elle pédale fort, Florence, pour décoller de ton petit bout de gazon.

– Ça va suffire.

Soudain, je me rends compte que, pendant que je m'énerve, Odilon, lui, reste posé, certain d'avoir réponse à toutes mes objections.

– Bon, d'accord, je fais en retrouvant mon calme. Quand est-ce qu'on l'essaie, ton… « véloplane » ?

– Faut d'abord installer l'ancre.

– L'ancre ? Les avions ont pas d'ancre ! je m'énerve de plus belle. Les ancres, c'est pour les bateaux !

– Calme-toi, mon Jo. J'ai tout prévu.

– Comme tes freins pour patins à roues alignées ?

– J'ai pas envie que mon avion parte au vent. Il faut une ancre.

Je n'arrive pas à me calmer.

– Autrement dit, quand Florence va être tannée de voler, elle va jeter l'ancre. Ça va donner un sacré coup ! T'es certain que ton « aérocycle ultraléger » va résister au choc ?

– T'as rien compris, mon petit...

– Je ne suis pas petit ! J'ai 13 ans !

Je ne sais plus quoi dire.

– L'ancre, continue-t-il, imperturbable, c'est pour que l'avion reste attaché au sol... pour le garder stable

dans l'air. Comme un cerf-volant, tu comprends ?

Abasourdi, je n'ose plus parler. Ça devient vraiment trop *flyé*, là. M'entraînant vers son ancre, Odilon poursuit, comme si tout cela était logique :

– On va creuser un grand trou, là, pour l'ancre, puis on va l'enterrer jusqu'au cou. On va juste laisser dépasser l'organeau...

– L'organeau ! C'est quoi, ça, encore ?

– C'est l'anneau au bout de l'ancre. Pour accrocher l'avion.

Devant moi, avec une force peu commune, Odilon enfonce sa pelle dans la pelouse et se met à découper de grandes galettes de gazon, qu'il empile à côté.

Je le regarde creuser. Son caillou luit au soleil comme jamais.

Quelle détermination !

Et je me dis…

Je me dis que cela est admirable au fond. La plupart des gens qui ont des idées audacieuses n'en font jamais rien.

***

Le trou a déjà près d'un mètre de profondeur.

– Je peux creuser ?

Ses petits yeux cerclés d'argent se lèvent vers moi.

– Bien sûr, mon Jo. Tiens.

Il saute sur la pelouse et je descends prendre sa place.

Je creuse à mon tour.

Et plus je creuse, plus j'y crois, moi, au projet de Papiot. C'est le principe du cerf-volant après tout… en plus gros. Ce serait vraiment super, si Florence pouvait voler, juste un peu, pour vrai, ne serait-ce que quelques secondes et

à quelques mètres du sol. J'imagine déjà son immense bonheur…

Et le bleu de ses yeux !

***

Je crois avoir atteint la profondeur nécessaire. Odilon s'avance pour évaluer la dimension du trou. Il regarde l'ancre.

– Ça devrait aller, déclare-t-il enfin. Tu peux remonter.

Et il s'en va saisir à deux mains la barre centrale de l'ancre. Tel un haltérophile, il se redresse en soulevant l'objet qu'il appuie contre le haut de ses cuisses. Quelques pas difficiles et Odilon se retrouve au bord du trou. Il se penche un peu et propulse l'ancre vers l'avant.

– Han !

L'objet atterrit au fond du trou.

– Viens m'aider.

Avec lui, je redescends dans le trou. À deux, nous plaçons l'ancre dans sa position verticale, bien centrée.

– Va sur le chemin et dis-moi ce que tu vois.

Je ne réfléchis plus. Je bondis hors du trou et cours vers le chemin des Coudriers. De là, je peux voir la moitié de Papiot qui dépasse au-dessus de la pelouse.

– Mets-toi à quatre pattes, me crie-t-il, et dis-moi si tu vois l'organeau.

– Oui, Papiot! Je le vois… de justesse.

– Parfait, mon gars, reviens.

J'accours.

– Qu'est-ce qu'on fait?

– Tu rejettes la terre dans le trou.

Sans discuter, je commence à travailler. Avec ses pieds, Odilon compacte

chaque pelletée autour de l'ancre. À la fin, nous récupérons les galettes de gazon que nous étalons autour de l'organeau. Beau travail ! Je suis fier de moi.

– Et maintenant ? je demande.

– On sort l'avion.

CHAPITRE 10

Le premier essai

Je tire l'avion hors du garage avec la corde accrochée sous la carlingue. Très léger, il roule facilement sous le soleil, jetant de la lumière de tous les côtés.

Tout de suite, je remarque qu'Odilon a respecté les dessins de Florence. Je vois aussi que les trois roues, les deux grandes en avant et la petite en arrière, peuvent tourner dans tous les sens, comme des roulettes sous un gros meuble.

Avec précaution, j'apporte l'avion devant la maison d'Odilon. Mais là, au milieu de la pelouse, près de l'ancre enfouie, l'engin me paraît soudain petit et surtout, placé comme ça, devant

le majestueux fleuve Saint-Laurent, tellement fragile…

Trop, peut-être.

– On va le mettre nez au vent, m'indique Odilon.

Grâce aux roues pivotantes, l'avion obéit bien à nos manœuvres.

– Maintenant, Jo, accroche-le à l'ancre.

Facile. Au bout de la corde, il y a un mousqueton d'alpiniste que j'enfile dans l'organeau. L'accessoire se referme aussitôt, de sorte que l'avion est bien attaché au sol.

Nous nous éloignons un peu pour admirer le résultat. La brise repousse doucement le petit appareil jusqu'au bout de sa laisse. Là, il oscille un peu, puis se stabilise, parfaitement aligné avec le vent.

Les hélices tournent lentement.

C'est beau. Je suis heureux et fier…

Heureux pour Florence…

Et fier d'Odilon.

***

Côte à côte, nous observons l'appareil encore un instant. L'angle de la grande aile me semble parfait. Par moments, quand la brise prend un peu de force, on dirait que l'avion veut se soulever de terre, mais il reste bien au sol… et très stable grâce au grand écart entre les roues avant. Odilon a tout prévu.

– La corde n'est pas très longue, je fais remarquer.

– C'est pour le premier essai. Après, on verra.

– Comment t'as fait ? Il est super !

– J'ai surtout utilisé du matériel de camping… des tubulures fines, flexibles et légères, même pour les hélices. Ça n'a pas été facile à assembler.

– T'as travaillé fort.

– Six mois ! Six mois à réfléchir et à dessiner, puis à chercher les bons matériaux, à visiter toutes les quincailleries et tous les magasins spécialisés de Charlevoix et, enfin, à bricoler cet engin si délicat... et tellement compliqué.

– Tout ça pour Florence ?

– Pour oublier aussi.

Ça lui a échappé. Une tristesse pointe dans son regard. Il se secoue et ajoute :

– Florence, j'aime la voir heureuse...

– Moi aussi.

Je suis ébranlé. Je me secoue à mon tour et je reviens à l'avion.

– Il est magnifique. On dirait le même bleu que sur les dessins de Florence ! Ça va marcher, Papiot, j'en suis sûr. Moi, ton avion, je le trouve super *flyé* !

Odilon se retourne vers moi. C'est la première fois que j'utilise ce mot devant lui.

– *Flyé* ?

– Comme le verbe *to fly* en anglais. Même toi, je te trouve *flyé* !

– C'est un compliment, ça ?

– Oh oui, Papiot !

– Ça veut dire quoi ?

– Ça veut dire que t'es audacieux et super original.

– Et toi, t'es *flyé* ?

– Jamais autant que toi. Mais j'aimerais bien l'être un peu plus.

– Eh bien, mon petit Jo, on va arranger ça tout de suite. Monte dans l'avion. C'est toi qui vas faire le premier essai.

Je le regarde avec des yeux aussi grands que ceux de Florence.

– Tu *flyeras* pas ben haut, ajoute-t-il pour me rassurer, mais ce sera un début.

Son regard me fixe sans ciller. Ses rares cheveux blancs frémissent de chaque côté de son crâne. Le vent souffle de plus en plus fort. Derrière Papiot, l'avion sautille sur ses roues, comme s'il trépignait d'impatience.

Les hélices ont nettement pris de la vitesse.

– Viens, je vais te montrer comment ça marche.

***

Odilon m'ouvre la petite portière. J'avance la tête à l'intérieur et je découvre l'incroyable armature de l'avion. Un enchevêtrement inextricable de fines tubulures ! Les toiles translucides laissent pénétrer une lumière bleutée dans la carlingue dont le plancher

n'est qu'une longue planche, large au centre et effilée aux deux bouts.

Sur cette base en bois léger est fixé un vélo, mais sans les roues. Il y a la selle, le guidon et les pédales qui tournent doucement, mues par les hélices auxquelles elles sont reliées.

– Tu enjambes le seuil sans le toucher, m'explique Papiot. Attention, c'est fragile ! Puis, tu poses le pied là, sur la planche… et tu t'assois.

Me voilà aux commandes. En suivant le mouvement des pédales, je place mes pieds dessus.

– Ne force pas tout de suite, m'avertit Odilon. Je vais chercher des briques pour immobiliser l'appareil, au cas où tu réussirais à avancer. Attends mon signal.

Il referme la portière. Dans la lumière azurée, j'admire le travail d'Odilon. Devant moi, une large fenêtre

en plastique est cousue dans la toile. Les hélices la traversent lentement, une à une.

– Vas-y, mon Jo, me lance Papiot. Doucement!

J'ajoute de la force sur les pédales et les hélices obéissent immédiatement. Leur cadence s'amplifie et les toiles de l'avion commencent à battre. Devant moi, le pare-brise se raidit un peu.

– Allez, Jo, s'enthousiasme Papiot de l'extérieur, un peu plus fort!

J'accentue la pression sur les pédales.

– Allez, mon Jo, allez! Gêne-toi pas maintenant!

Je me lève pour donner le maximum. Les hélices tourbillonnent.

– Oui, oui! m'encourage Papiot.

Je pousse de toutes mes forces...

La structure s'ébranle ! L'avion avance ! Il roule !

Je mets toute la gomme !

– Stop ! me crie soudain Odilon. Stoooop !

Je tente de retenir les pédales, mais leur élan est trop puissant. Les hélices ralentissent à peine et l'avion roule encore. Tout à coup, c'est le choc ! L'avion est arrêté net. Propulsé vers l'avant, je m'accroche au guidon en raidissant les bras. Je vais traverser le pare-brise ! Non, je retombe sur la selle !

– Ouille !

– Bouge pas ! hurle Odilon. Je pose les briques !

– Ayoye !

Au bout d'un moment, il ouvre la portière et m'aide à descendre. Sur la pelouse, genoux croisés et un peu plié, je fais quelques pas difficiles.

Je regrette de ne pas avoir mis une coquille de hockey.

– Ça va, mon gars ?

– Euh… oui, Papiot, ça va.

– Regarde ! fait-il fièrement en me montrant son avion. J'ai mis les briques pour le retenir.

L'appareil s'est déplacé d'au moins 20 mètres ! Il n'est plus derrière l'ancre. Il est devant ! En dessous, la corde qui relie l'engin à l'organeau repose par terre, telle une queue. C'est elle qui a stoppé l'élan de l'appareil. Il a tenu le coup.

Apparemment, rien de brisé.

Et je constate encore le génie d'Odilon. Sous la carlingue, de l'avant jusqu'à l'arrière, il a tendu un fil d'acier sur lequel il a enfilé un autre mousqueton fixé à l'autre bout de la corde…

Le mousqueton a glissé de l'avant vers l'arrière de l'appareil !

– Pour amortir les chocs, m'annonce-t-il, je crois qu'il va falloir remplacer la corde par une sorte de gros élastique…

– Un élastique de *bungee* peut-être, je suggère.

– Le *bungee* ! s'étonne Papiot. C'est quoi, ça ?

– Le *bungee*, c'est simple. Du plus haut que tu peux, tu plonges tête première avec les chevilles attachées par un long élastique qui te retient juste avant que tu te pèt… que tu te fracasses la tête, en bas.

– C'est pas mal *flyé* !

– Non, Papiot, pas *flyé*… pété, sauté, capoté, crack pot, tout ce que tu voudras, mais pas *flyé*. *Flyé*, c'est toi… c'est ton avion ! Pas le *bungee* !

– Je pense que mon avion, il est plutôt crack pot.

– Pourquoi tu dis ça ?

– Il ne lèvera sans doute jamais. Il peut rouler sur le gazon, oui, mais pas voler…

– Tu es sûr ?

– À moins qu'il vente trois fois plus que maintenant… et avec quelqu'un qui pédale pas mal plus fort que toi dedans.

– Florence ! je m'exclame. C'est pour elle que tu l'as fait, non ? Tu peux pas savoir comme elle peut pédaler fort.

– Oui, je sais. Mais avant, il faut voir comment l'avion se comporte par très grand vent.

– Le vent est plus fort, là, non ?

– Pas assez. Allez, Jo, aide-moi, on va le replacer en position de départ.

On dirait que Papiot est en train de retrouver son enthousiasme.

– Et ton idée de *bungee*, c'est pas fou. Allez, va te placer derrière l'avion pour le bloquer. Moi, j'enlève les briques et je le retiens par en avant. On va le faire reculer. T'as compris ?

– Compris !

Je prends place derrière l'appareil en appuyant mon épaule contre sa queue. Le vent s'est encore élevé. Il siffle le long des ailerons arrière. Toute la structure vibre.

– Prêt ? me crie Odilon, à l'autre bout.

– Prêt ! je réponds.

– Attention, je retire les briques !

Je me raidis contre l'appareil. Mes espadrilles glissent sur le gazon, mais je réussis quand même à freiner la progression de l'engin, aidé sans doute par Odilon, à l'autre bout.

Doucement, nous reculons.

Soudain, mes pieds heurtent un obstacle : l'organeau ! Je bascule sur le dos. Vivement, je roule de côté pour éviter la roue arrière. L'avion passe au-dessus de moi et la roue avant droite me rate de justesse. Je relève la tête et je vois Papiot qui fait du ski nautique sur la pelouse, entraîné par son invention. L'avion ralentit à peine. D'un coup, la corde se raidit entre ses jambes !

– Ouille ! je fais.

Papiot est projeté dans les airs par la corde tendue, puis retombe à plat ventre dessus, pivote autour et tombe sur le dos.

Je cours l'aider.

Genoux croisés et un peu plié, il fait quelques pas dans le gazon.

– Ce serait bien, une coquille de hockey, hein ?

Il ne me répond pas. Au lieu de cela, il proclame :

– Il sera pas facile à dompter.

– Quoi donc ?

– Ce foutu avion. Regarde.

Au bout de sa corde, la bête semble enragée. Plus agitée que jamais par le vent qui s'élève toujours, elle bondit sur ses roues, comme surexcitée. On dirait qu'elle se débat pour se libérer de sa laisse. Cet engin n'a qu'une idée en tête… s'envoler !

– Il faut le calmer, me fait Odilon.

– Comment ?

– On va lui mettre quelques roches dans le ventre.

***

Ça n'a pas été facile.

Je me suis réinstallé à l'intérieur de l'appareil qui, déjà, avec mon poids, s'est stabilisé un peu. Puis, j'ai déposé délicatement, tout le long du plancher, les grosses roches plates qu'Odilon me refilait de l'extérieur.

Malgré le vent qui ne faiblissait pas, l'avion s'est finalement «rassis» sur ses trois roues, même s'il était toujours habité de sifflements et de vibrations.

Après, on est rentrés souper et on a mangé en silence une soupe aux gourganes qui nous a calmés un peu pendant que, dehors, le vent prenait encore de la force.

CHAPITRE II

Le vol de Florence

Je me suis couché très tôt ce soir-là... avant le soleil... et avec l'étrange impression d'avoir rêvé toute la journée.

J'ai pris le dernier cahier de dessins de Florence et je suis monté dans le demi-étage, où mon lit m'attendait.

***

Je suis assis confortablement avec deux oreillers bien calés dans le dos. Sur les draps, devant moi, repose le cahier fermé. Par la grande fenêtre, je peux admirer le ciel qui s'assombrit et, sur le fleuve, les moutons qui se multiplient. Le vent siffle de plus en plus fort dans le toit.

En bas, sous la lueur blafarde d'une ampoule extérieure, l'avion d'Odilon ne bouge presque pas, domestiqué et rivé au sol par les roches qu'on lui a fait avaler. Demain, on verra.

Apaisé malgré tout le vacarme qui règne dehors, j'ouvre le cahier de Florence et m'amuse à faire rejouer l'incroyable vol animé de mon amie d'été.

***

Le fracas des vagues et le sifflement du vent ne font que s'amplifier. Je jette un dernier regard dehors. La nuit est maintenant tombée et le fleuve a disparu. L'avion d'Odilon s'est déplacé légèrement. Malgré les roches à l'intérieur, il piaffe d'impatience.

N'y pouvant rien et épuisé, je laisse le cahier glisser et mes yeux se fermer... mais bientôt, ils s'ouvrent sur un ciel en furie!

Je sursaute et me redresse dans mon lit.

Devant ma fenêtre, je vois l'avion bleu d'Odilon !

Illuminé d'éclairs, il vole !

Et dedans, j'aperçois la silhouette de Florence qui pédale de toutes ses forces contre la tempête ! Rivée au sol par la corde tendue, elle donne tout ce qu'elle peut pour maintenir l'appareil dans la tourmente, juste au-dessus de l'ancre.

Quel spectacle !

Et quel combat !

Les rafales repoussent Florence vers l'arrière. Entraînée vers le sol, elle redouble d'efforts pour faire remonter l'avion. Elle y arrive ! Pendant de longues minutes, elle le maintient devant moi. Puis, peu à peu, elle dépasse l'ancre ! Le mousqueton qui relie l'avion sous la carlingue glisse vers la queue de l'appareil, qui se met à redescendre de l'autre côté.

Malgré cela, Florence continue à pédaler de tout son cœur, comme si elle souhaitait rompre ce lien qui la retient depuis toujours à son île. L'avion, maintenant à ras du sol, tire de toutes ses forces sur l'organeau, qui ne veut pas le lâcher. Autour, la terre se soulève lentement. L'ancre va-t-elle résister ?

Sans faillir, Florence pédale comme une forcenée. Devant elle, les hélices scient la nuit, et l'avion, peu à peu, se braque vers le ciel. Tout à coup, l'ancre est arrachée du sol et l'avion, violemment propulsé dans le vent,

s'élève dans le ciel noir, emportant avec lui une Florence enfin libérée.

Je me colle à la fenêtre pour suivre ce fulgurant envol, mais j'ai à peine le temps de voir l'ancre qui disparaît dans les ténèbres.

***

Bien sûr, ce n'était qu'un rêve.

Ce matin, il ne vente presque plus. Dehors, sous un soleil nouveau, le fleuve, calme, est aveuglant. Ma deuxième journée sur l'île s'annonce merveilleuse. J'ai hâte de raconter ma nuit à Papiot.

Vivement, je saute du lit et m'habille. Je ramasse le cahier de Florence et descends. Odilon se lève tous les jours très tôt pour me préparer à déjeuner, mais la cuisine est vide. Aucune odeur de café ou d'oranges pressées.

– Papiot!

Pas de réponse.

Je m'avance dans la cuisine jusqu'à la porte qui donne sur la galerie, face au fleuve. Mon grand-père est debout en haut de l'escalier. Le soleil du matin lui fait une jolie couronne sur le crâne. J'ouvre la porte et m'approche de lui. Dans un seul verre de ses lunettes, je peux voir tout le fleuve.

– Ça va, Papiot?

Il ne répond pas. Je viens à ses côtés et je vois…

À nos pieds, toujours attaché au bout de sa corde, l'avion n'est plus qu'une carcasse démolie, déchirée et tordue.

– C'était presque un ouragan, fait calmement Odilon. Tu as bien dormi?

Devant nous, toutes les toiles sont crevées. La grande aile a été arrachée de la carlingue et repose à l'envers, un peu plus loin. Une hélice a quitté son pivot et s'est plantée dans le gazon. La

queue de l'avion, difforme, pointe vers le ciel. Toute la structure a été défoncée par les roches plates qui jonchent le sol, autour. Entre les débris émerge le cadre de vélo qui, seul, semble avoir survécu à la catastrophe. Même la longue pièce de bois qui lui servait de socle n'a pu résister aux assauts des vents violents de la nuit dernière...

Malgré cela, je me sens en parfait accord avec mon grand-père.

– Oui, Papiot, j'ai bien dormi. J'ai fait un rêve magnifique.

– As-tu faim ?

– Oui, très.

– Viens. On va déjeuner et tu me raconteras ton rêve. Après, on va récupérer ce qui est encore utilisable dans tous ces morceaux... et jeter tout le reste au recyclage.

– Et l'ancre ?

– On va la déterrer et la peinturer. Cela fera une jolie décoration.

– Et un beau souvenir.

– Oui, Jo, un beau souvenir.

– Mais... Florence?

Il demeure un long temps songeur devant l'avion détruit. Soudain, son caillou entêté bondit dans le soleil...

Il est incorrigible, Odilon.

– Oui, mon Jo, bien sûr, j'en ai une, idée, pour Florence. Et une idée bien meilleure que... que celle-là.

Il désigne la carcasse disloquée.

– Je devrais m'inquiéter? je demande, prudemment.

– Pas du tout, mon Jo. D'ailleurs, on va la réaliser ensemble, mon idée. Je vais avoir besoin de ton aide.

Bah, tant pis! Allez, je fonce.

– Mes deux semaines ne font que commencer, Papiot. On a encore tout le temps pour faire équipe, mais, quand même... c'est quoi, ton idée ?

– Ben... c'est un peu... un peu... comment tu dis ça déjà ?

– *Flyé* ?

– Oui, Jo, en plein ça... *flyé* !

CHAPITRE 12

Le dernier VOL

Mes deux semaines sont maintenant écoulées.

Le lendemain de la catastrophe, Odilon et moi avons déterré et nettoyé l'ancre. Papiot m'a aidé à enlever la rouille. Puis, pendant qu'il récupérait les restes de son avion, je l'ai peinturée. En bleu, bien sûr. Les jours suivants, avec de la peinture blanche et un tout petit pinceau qu'on lui fournissait, Florence venait ajouter un minuscule nuage en forme d'avion.

De loin, on dirait un bidule bleu avec des pois blancs…

Cela représente assez bien Odilon.

Pendant mes deux semaines, j'ai aussi fait beaucoup de vélo avec Florence, à un point tel que j'arrive maintenant à terminer le tour de l'île en moins d'une heure. Je suis encore loin des 40 minutes de mon amie, mais je peux me vanter qu'il n'y a plus une seule côte à mon épreuve…

Même celle à Picoté !

***

Demain, mes parents viennent me chercher et je devrai retourner à Québec. C'est triste peut-être, mais aujourd'hui sera un jour important. Hier, Odilon et moi avons terminé la réalisation de son idée. Nous avons un plan terrible…

Et ce sera surtout un grand jour pour Florence…

J'espère.

***

Encore une fois, le soleil s'apprête à régner toute la journée sur le pays des Marsouins.

Après le déjeuner, un peu nerveux, j'attends Odilon dehors, devant sa maison. C'est plus long que prévu. Enfin, il sort et s'avance sur la galerie, coiffé d'un ancien casque de cuir d'aviateur et portant de petites lunettes de plongée. Il me sourit, fier de son accoutrement. Revêtu d'une veste de cuir, il a presque fière allure en descendant l'escalier. On dirait Lindbergh qui se prépare à s'envoler pour sa traversée de l'Atlantique.

Touché par sa folie éternelle, je souris...

– On y va ?

– Oui, Papiot. On y va.

– Parfait. Florence nous attend à 9 heures. Ses parents sont toujours

d'accord. Je leur ai téléphoné hier soir. De ton côté, tout est prêt ?

– Tout est dans le coffre arrière.

***

Mon cœur se débat dans ma poitrine. Nous approchons du garage. Papiot entre le premier. Puis, encore une fois, les deux grands battants s'ouvrent sur sa grosse Pontiac 1948…

Modifiée !

Eh oui ! Sur le nez de la calandre, nous avons fixé autour d'un pivot les trois hélices récupérées de l'avion d'Odilon.

Je me sens à nouveau tout petit… et inquiet.

Cela me paraît tout à coup… tellement *flyé*.

– Allez, mon Jo, courage !

Il se met au volant. Je monte du côté passager et m'assois devant l'horloge

qui orne le coffre à gants. Il est 8 h 55. Odilon démarre l'engin. Sous le long capot, l'immense moteur gronde. Puis, mon grand-père embraye...

La voiture a un petit sursaut et s'ébranle. Toit baissé, nous sortons du garage et sommes soudain baignés de soleil.

Odilon tourne le grand volant. Dans le pare-brise, au-delà des hélices encore immobiles, tout glisse vers la droite. Devant moi, le paysage monte et descend. Je vais avoir le mal de mer !

Doucement, Odilon immobilise son paquebot au pied de l'escalier de sa maison.

– Tu es prêt ?

J'ai peur.

***

L'énorme masse rouge et étincelante de la *Pontiac Streamliner Hydra Matic Silver 8 Streak 2 door Convertible* 1948 de

Papiot roule le long de la grève, sur le chemin des Coudriers.

Devant nous, mues par le vent, les hélices tournent doucement. Derrière, fixés sur le coffre, trois ailerons, également récupérés de l'avion d'Odilon, imitent la queue de notre « autoplane »... ou de notre « aérobagnole », comme vous voulez. Un peu plus et Papiot construisait une structure pour installer la grande aile au-dessus de nos têtes. Je lui ai alors rappelé la puissance étonnante des vents. Je lui ai aussi indiqué que notre véhicule deviendrait un véritable danger public. Mais Odilon n'a renoncé que lorsque je lui ai dit que Florence pouvait très facilement s'imaginer avec des ailes. Pas besoin d'en fabriquer des vraies.

Finalement, avec son accoutrement d'aviateur, les ailerons derrière et les hélices devant, l'illusion est assez réussie...

Nous arrivons chez Florence.

***

Elle est là, au bord du chemin, qui nous attend, les mains dans le dos, en train de contempler la rive sud. Le plus doucement possible, Lindbergh immobilise son « avion » derrière elle.

Elle ne bouge pas.

– Vas-y, mon Jo, me fait Odilon. Invite-la à monter.

Je descends. Le regard toujours rivé sur la rive sud, Florence ne bronche pas.

– Allez, Jo, fais quelque chose, insiste Odilon.

Je m'approche d'elle et, pour la première fois de ma vie, je prends sa main. Du coup, elle quitte le lointain paysage et pose son grand regard sur moi. Je me sens soudain comme devant un précipice. Ses yeux sont – comment dire ? – tellement verts.

– Oh ! je m'exclame.

Et je m'empresse de la tirer légèrement afin qu'elle monte. Elle m'obéit et s'avance.

– Oh ! fait-elle à son tour, en voyant l'étrange aviateur aux commandes.

Malgré cela, avec une souplesse que je suis incapable de vous décrire ici, elle se glisse sur la banquette, à côté du pilote. Enfin, je m'assois à côté d'elle et referme la portière.

L'horloge du coffre à gants indique 9 heures pile !

Jamais je n'oublierai cette seconde de toute ma vie.

***

Nous entreprenons notre dernier tour de l'île aux Coudres. Florence, à côté de moi, avale l'infini avec ses grands yeux devenus bleus. Les hélices balaient son regard, comme pour le rendre encore plus clair. Telle

une éponge, elle absorbe la beauté qui défile autour de nous. Tous les deux, à nouveau, on a cinq ans.

Devant la Roche-Pleureuse, Odilon ralentit et Florence tourne son grand « Oh ! » vers moi. Son bonheur m'apparaît plus grand que jamais. J'ignorais qu'un tel bonheur pouvait exister. Mais surtout, j'ignorais que moi, Jonathan, j'allais tantôt connaître un bonheur encore plus grand.

***

Nous nous sommes arrêtés partout où il y avait une légende. Sur cette île, il y en a partout, des légendes. Chaque fois, évidemment, la Pontiac modifiée de Papiot attirait l'attention.

Les Marsouins, eux qui connaissent Odilon depuis toujours, n'étaient guère surpris. Ils blaguaient avec lui. Par contre, les touristes nous observaient de loin, à la fois gênés et amusés.

Je crains qu'Odilon devienne un jour une grande attraction à l'île aux Coudres.

***

Évidemment, Odilon a immobilisé sa Pontiac devant la petite chapelle Saint-Isidore qui, déjà, est devenue légendaire à mes yeux, car elle a vu la naissance incroyable de Florence Harvey, il y a plus de 13 ans maintenant…

Dans 100 ans, ce sera un lieu de pèlerinage, je vous le promets.

Tous les trois, nous descendons de la voiture. Odilon et moi observons Florence, qui s'avance devant la chapelle. Là, comme toujours, elle pointe le nez vers le ciel.

Cela dure plus longtemps que d'habitude...

Comme si elle voulait que nous regardions aussi.

Alors, je lève la tête et découvre un nuage blanc qui flotte là-haut, tout seul. Je le contemple longtemps... longtemps... jusqu'à ce qu'il prenne la forme d'un avion.

Quand je baisse les yeux, Florence n'est plus là.

Elle est retournée s'asseoir dans son nouvel avion.

***

Nous avons continué notre grand tour. Nous avons bifurqué sur le chemin du Ruisseau-Rouge afin d'admirer les deux vieux moulins qui fonctionnent encore ici, l'un mû par l'eau, l'autre par le vent, et qui produisent de la vraie farine.

Pour faire du vrai pain.

Là encore, nous sommes descendus et, pendant de longues minutes de silence, Florence a regardé tourner les grandes hélices du moulin à vent. Je me suis approché et, pendant un bref instant, je les ai vues tourbillonner dans le ciel de ses yeux.

***

Nous avons ensuite repris notre route sur le chemin des Coudriers. De retour du côté du fleuve, nous achevons notre grand tour. La route est déserte et c'est presque la ligne droite.

Devant le Vieil Indien, Odilon accélère doucement et la masse pesante de sa Pontiac 1948 prend de la vitesse. Les hélices aussi. Derrière, les ailerons se mettent à vibrer. Le maximum permis sur l'île, c'est 70 et le compteur indique déjà 50. Odilon pousse encore un peu… 55… 60… Les courroies de son casque d'aviateur virevoltent dans tous les sens alors que la lourde carrosserie roule et tangue mollement sur les longues vagues de l'asphalte. Sous un ciel parfaitement bleu, nous atteignons 65. À l'avant, les hélices tourbillonnent. À l'arrière, les ailerons frémissent. Tout cela va-t-il résister ? Je jette un coup d'œil vers Florence. Son nez est braqué droit devant et j'ai soudain l'impression qu'on va s'envoler…

Lunettes de plongée rivées sur la longue piste des Coudriers, Lindbergh accélère encore… 70… 72… nous avons dépassé le maximum ! Les hélices sont devenues presque invisibles. Derrière,

les ailerons émettent une longue note aiguë qui se mêle au vent qui hurle…

Puis, tout à coup, Odilon lève le pied, mais sans freiner. La Pontiac, emportée dans son envolée, ne ralentit presque pas et poursuit ses longs et moelleux bonds le long du fleuve.

Le compteur descend lentement… 60… 55… 50… et nous planons longtemps sur ce magnifique élan…

Jusque chez Florence.

Là, la Pontiac s'immobilise enfin.

J'ouvre la portière pour laisser mon amie passer. Déjà, elle court sur la grève, vers le fleuve, devant chez elle. C'est marée basse. Odilon est descendu lui aussi, puis est venu me rejoindre.

– J'ai cru qu'on allait s'envoler, je fais. Pourtant, t'as à peine dépassé 70.

– Ben… j'ai triché un peu, mon petit Jo. C'est vrai, comme tu dis, je suis monté à 70. Mais à 70 milles à l'heure,

tu comprends ? Et ça, ça correspond à plus de 110 kilomètres à l'heure.

Je reste silencieux.

– Je voulais tester les hélices et la queue de notre avion. Je pense qu'on va les garder pour l'été prochain, quand tu vas revenir. Qu'est-ce que t'en dis ?

– Euh... oui... ben... je sais pas.

– Et puis, avoue, on avait presque l'impression de voler, non ? Même si ça n'a duré que quelques secondes, Florence méritait bien ça, tu trouves pas ?

Je me retourne vers le fleuve. Mon amie est déjà loin.

– C'est le moment, fait alors Odilon.

Soudain, je me rappelle.

– Oui, Papiot, c'est le moment.

Nous allons derrière l'automobile. Odilon ouvre le coffre, retroussant les ailerons vers le ciel.

– Tu as bien travaillé. Il est magnifique.

***

J'avance entre les flaques d'eau laissées par la marée descendante. Je dois sauter pour éviter de me mouiller les pieds. Là-bas, Florence bondit encore d'un rocher à l'autre, exécutant parfois d'incroyables enjambées. Toute en souplesse, elle va atteindre le bord de l'eau…

Va-t-elle continuer sur le fleuve ?

Non. Elle s'arrête sur la dernière roche.

On dirait une madone.

***

Voilà. Je suis debout à ses côtés, face au fleuve maintenant étale. L'eau s'est immobilisée devant nous.

Les mains dans le dos, Florence regarde l'église lointaine de Saint-Roch-des-Aulnaies, sur la rive sud. Je fais de même. J'observe moi aussi le minuscule clocher qui pointe le ciel, là-bas...

C'est le moment de lui montrer l'avion.

Je le cache encore un instant dans mon dos. Puis, devant moi, à bout de bras, je le lève, nez au vent. Les petites hélices se mettent aussitôt à tourner... et la petite Florence, dedans, commence à pédaler.

J'avance mon bricolage devant mon amie pour le lui offrir.

Son regard quitte la rive sud et se pose sur l'avion. Puis, elle tend la main pour le cueillir...

Et pour l'élever encore plus haut.

***

Longtemps, elle contemple le jouet qu'elle maintient comme ça, dans le ciel. Je suis fier de moi. C'est fou le mal que je me suis donné pour relier les hélices aux pieds de la petite marionnette articulée à l'intérieur. J'ai imité les engrenages de l'avion d'Odilon et cela a fait naître cette jolie réplique... quasi parfaite.

Je lui ai peut-être fait un nez trop long, à Florence...

Tant pis. J'ai respecté ses dessins.

Je me tourne vers elle. Elle ne me voit pas et se moque bien de la longueur de son nez. Son visage est tout grand ouvert sur le vol de son nouvel avion...

Soudain, au bout d'un long temps, elle s'exclame :

– Jo !

Jo ! Elle a dit Jo !

Mes parents sont gentils mais...

21. Mon grand-père est gentil mais... tellement *flyé* !
REYNALD CANTIN
20. Ma sœur est gentille mais... tellement texto !
JOSÉE PELLETIER
19. Ma voisine est gentille mais... pas avec moi !
JOCELYN BOISVERT
18. Mon serpent est gentil mais... tellement disparu !
CAROLE TREMBLAY
17. Mon frère est gentil mais... tellement traîneux !
JOSÉE PELLETIER
16. Mon ami Sam est gentil mais... tellement casse-pieds !
JOCELYN BOISVERT
15. Ma directrice est gentille mais... tellement toquée !
DANIELLE SIMARD
14. Mes parents sont gentils mais... tellement séparés !
SYLVIE DESROSIERS

ILLUSTRATRICE : LOUISE CATHERINE BERGERON

3. Mes parents sont gentils mais... tellement débranchés !
Hélène Vachon
2. Mes parents sont gentils mais... tellement paresseux !
Johanne Mercier
1. Mes parents sont gentils mais... tellement peureux !
Reynald Cantin
0. Mes parents sont gentils mais... tellement bornés !
Josée Pelletier
9. Mes parents sont gentils mais... tellement malchanceux !
Alain M. Bergeron
8. Mes parents sont gentils mais... tellement écolos !
Diane Bergeron
7. Mes parents sont gentils mais... tellement désobéissants !
Danielle Simard
6. Mes parents sont gentils mais... tellement mauvais perdants !
François Gravel
5. Mes parents sont gentils mais... tellement amoureux !
Hélène Vachon
4. Mes parents sont gentils mais... tellement dépassés !
David Lemelin
3. Mes parents sont gentils mais... tellement maladroits !
Diane Bergeron
2. Mes parents sont gentils mais... tellement girouettes !
Andrée Poulin
1. Mes parents sont gentils mais... tellement menteurs !
Andrée-Anne Gratton

Illustratrice : May Rousseau

Québec, Canada

Imprimé sur du papier Enviro 100% postconsommation traité sans chlore, accrédité ÉcoLogo et fait à partir de biogaz.